JN119413

まだ、これからや

信心は無限の心意気

植田與志夫

推薦の言葉

昨年八月十三日、暑さの厳しい日であった。旧知の植田與志夫先生が、自ら車を運転して私を訪ねてきてくださった。久しぶりにお会いしたが、長年幾多の修羅場を通ってこられた先生は精気に溢れ、とても九十四歳の人とは思えない。四日前の八月九日、三度目の会長就任奉告祭を勤めたとのこと。福岡に「夢ノ架橋分教会」の会長に就任したほやほや、身体に湯気がたっている。博多弁の「ちかっぱうれしか」と題した小冊子を十冊頂いた。髙橋分教会、髙尚佳分教会に次いで三度目の会長就任である。

教内広しといえども、これだけの布教への情熱を持った人は見当たらない。すごい人というかスーパーマンというべきか、私は教内有数の布教師の植田先生と同じ橿原市の生まれの人間として長年親しくしていただいていることは、まことに有難く嬉しいことだと思っている。

平成十九年に出版された『さぁ、これからや』に推薦の言葉を書いたが、今回『まだ、これからや』にも書いてほしいとの依頼である。

まことに光栄なことであると、八十五歳の私は感動した。先生の元気、本気、やる気は超一流、加えて勇気と先見性は誰にも真似ができないと今更ながら驚いている。

今から四十数年前、日本が高齢化に進み始めたころ、当時「養老院」と呼ばれていた高齢者向けの施設を「特別養護老人ホーム」として開設する決意を固められた。高齢社会を見越しての先見の明である。

しかし、中和大教会長様から教会のお金は一切使うなと厳命され、開設資金集めに苦労された。金額を寄付で集め、当時のお金で二億円以上を調達するという常識はずれの行為である。名だたる大企業のM氏やH氏にねばり強く面会を求め、あまりの熱心さに面会を許された。

高齢者の介護施設の必要性を熱心に説く先生の迫力に押され、両氏とも高額の寄付をされた。東奔西走して多くの人々の協力を得られたことは並大抵なことではなかったと思う。

先見性に加えて勇気ある行動力こそ、現在のようぼくに求められる最重要課題である。この本には韓国布教や台湾布教など、国外への布教談も記されている。しかし、この本は堅いばかりの信仰論ではない。随所にユーモアがあふれている。「精神一つの理によって、一人万人に向かう」とのご神言を実践している稀有な布教師である。

植田先生の生き様を少しでも参考にして、ようぼくは日々の歩みを進めなければばならないと思う。一人でも多くの人に読んでいただきたい。特に若い人にはこの本から活力を得てほしいと思っている。願わくは百歳を迎えられ、『まだまだ、これからや』を出版していただきたいと願い推薦の言葉とする。

令和三年春

本部員　横山一郎

序文

私と著者・植田與志夫氏とのご縁は四十五年前、私達夫婦の結婚式で披露宴の司会をつとめて頂いたことに始まる。

当時、著者は髙橋分教会の会長をつとめておられたが、私はその日がおそらく初対面であり、苗字が同じ植田であることも印象深かった。

後継者だった私達も、教会長夫婦として三十年近くつとめさせて頂いたが、教会長の職を譲ってまもなく十年になろうというとき、氏が三度目の教会長のお許しを頂いたことは誠に感慨深い。

私ども中和大教会では、直属の教会の世話取りにあたる「世話人」という制度があるが、私もかつて浮孔（うきあな）分教会の世話人を十六年ほどつとめさせて頂いた。

序　文

十六年間ほぼ毎月、二十二日の祭典日には浮孔の教会にお邪魔して、氏からいろいろなお話を楽しく聞かせて頂いた。自慢話かと思いきや、深い信仰談義の数々……。充実していたあの頃の記憶が蘇って来るのを感じながら本書を読み進めていくうちに、教会を離れて現在、百歳を迎えた義父の世話に明け暮れる日常の中、親孝行も些かくたびれてきた自分自身を大いにリフレッシュして頂いた。

「信仰は意気と熱」の著者の言葉どおり、常に夢を持って、明るく、楽しく、前進あるのみ。そして、その信仰の根幹にあるのは、母の厳しい仕込み。母堂・植田サキエ先生は、私も若いとき何度かお目にかかったことがある懐かしい方である。でも、そんな厳しい方とはとてもお見受け出来なかったが……。自分には真似はできなくても、本当にその気で通ってくださる大先輩の存在を身近に感じることができるのは、幸せなことである。

そんなこんなで、「夢ノ架橋分教会」の名付け親という光栄に預かったが、九十歳を過ぎて九州へ向かうその心意気に、韓国・台湾、そして最寄りの地から、陽気ぐらしへの「夢の架橋」になって頂きたいと期待してやまない。

令和三年春

中和大教会前会長夫人　植田ゆり子

はじめに

二十三歳のとき、昼は自動車修理販売業、夜はオルグ活動（左翼労働運動）に打ち込んでいた。大阪労演（大阪労働者演劇協会）に出入りし、文学座の看板女優杉村春子と心安くなる。

五十歳の母は、持病のゼンソクで苦しみ、「人生五十年、もう終わり」と口走るようになった。杉村春子に耳入れすると、

「お母さんに言ってやりなさい。苦しくとも辛くとも、逃げるのはずるい。私の人生、まだこれからーって」。

脳裏に残る彼女の名言だった。

立教百七十年の秋、養徳社から自書『さぁ、これからや』を発刊。

先日、『陽気』編集部課長の山岡美秀氏から「第二弾、まだ、これからや。どうです

か?」と冗談めかす誘い水。杉村春子の言葉を揺り起こし、その気にさせた。

昭和三年生まれの弟は、身体障害者。ワルによくいじめられた。ワルをやっつけるのが兄の私。お陰でケンカが強くなった。柔道、剣道、空手三段の風評がたち、あだ名は「三段」。掌に人と書いてペロリと舐めて勇む。

「勇んで掛かれば神が勇む。神が勇めば、何処までも世界勇ます」

修養科で聞いた親神様のお言葉が気に入り、天理教が好きになった。崇高な信心と野蛮なケンカの同一視はもっての外だが、私の信心はそんな程度。勇むからするのではない。すると決めるから勇む。

高橋分教会長の時代、百人ほどのならず者、世捨て人を教会に住み込ませた。世話に明け暮れした嫁サンが、「百人やオマヘン、百二十人ダッセ」とのたまう大所帯。村の顔役サンは、「テンリンサン、変な人ばかり集めるので村の空気悪うなった」と村中に言いふらして文句を言って来たので、教えてあげた。

「変な人も変でない人も同じ人間、親神様の子。人間はみな兄弟姉妹。兄弟姉妹たすけあってイマンネヤカラ、村の空気ヨウナッテるのが、ワカリマヘンカ」

分かって分からん反論で、顔役サンは文句を言わなくなった。頂いたのだ。サカネジのご守護？　天の邪気、ヘソ曲がり信心にもアルンデス。ご守護が……。


私は、事の理非や是非をあまり考えず突っ走る幼稚な子供っぽい信心が好きだ。親神様は、生き神様のような聖人君子の人間はお望みでないと思う。何故なら、完全無欠、神だけの世界では楽しみがないから、人間を創って共に楽しもうと、人間世界をお創りになった。間違いのない神だけでは面白くないというところが面白い。理無く、徳無く、変な因縁があっても、真実を目指す努力・行いを受け取ってくださるのが親。

無邪気な三才心、幼子の為す事言う事、親を慰めて喜ばす一番の特効薬だ。

世界を闊歩（かっぽ）するアメリカのドル紙幣には、「ＩＮ ＧＯＤ ＷＥ ＴＲＵＳＴ（神のもとに信あり）」と大きく印刷されている。アメリカの経済社会、民主主義は神の謳歌から始まっている。日本と根本的に違う点である。

『天理教教典』に「親神は人間の実の親」とある。親神天理王命は、私ウエダヨシオの実の親。不可能がない親の子なら私にも不可能はない。親が立派でも子が不出来なら親の名を汚す。子が立派なら親も称えられる。親が称えられるようぼくに「ＩＮ ＯＹＡＧＡＭＩ ＷＥ ＴＲＵＳＴ」円紙幣目標の世界たすけ六十五年。幼稚極まる大言壮語にも、身にあまるご守護を頂いた。世に、親を思わぬ子がいても、子を思わぬ親はいない。親神様・教祖の親心にただただ頭が下がるばかり。

私は、生まれたくてこの世に生まれてきたのではない。そして私は、間違いなくこの世から消える。この世には私と全く同じ人はおらず、私はたった一人で、今生の私の人生は一度きり。親神様は私だけの生きる価値と役割を私に与えて生まれさせたのだ。だから私は、私らしい信心で「GOING MY WAY」で教祖ひながたを慕う。

教祖百年祭は白紙に戻る旬。真柱様のお言葉を戴き、白紙に戻るべく会長辞任手続きで奈良教務支庁へ参上した。横山正男教区長先生曰く。

「ホウ、奈良教区で一番早い。一番はエエ褒美戴くデー。やっぱりお母さんの子や。お母さん大事にしてヤー」

心に沁みる思いがけない母へのメッセージに、不肖息子への母の叱言が脳裏をかすめる。「原稿の顔見て人様の顔見ないおまえの神殿講話、なにが人さんたすかる。落語家でさえ、原稿見ないで喋ラハルノニ。シッカリセー」

上級会長に頼まれて鶏の遊び場だった高橋分教会を、マルキスト息子の猛反対のなか、至難とされる村方布教で見事移転新築の復興をした母の信心が、八カ所目の教会、夢ノ架橋分教会設立となり、九十四歳の私に三度目の会長就任の花を咲かせた。

ちさいはな　はこべの花
お母さんの　花
きように　そっとさいて
いつもやさしく　笑(え)まう花
ちさいはな　はこべの花
お母さんの花

（「小さい花」岡田　陽）

どうか、肩肘張らず気楽にお読みください。

立教百八十四年三月吉日

夢ノ架橋分教会長　植田與志夫

目　次

台湾布教裏表

一に勢い信州布教

目次

幸せ火種

ようぼくの根

目　次

アジック、イゼプトヤ（まだ、これからや）

信心フォーカス

目次

表紙絵　武田勲史
表紙題字　芝　光男

まだ、これからや
信心は無限の心意気

韓国布教こぼれ話

社長 会長 ハラボジ（おじいさん）

韓国インチョン空港から関西国際空港行きに搭乗した。

韓国の新聞に目を通していると、隣席のアジュモニ（おばさん）がデッカイ声の韓国語で話しかけてきた。

「あのー社長サン、韓国人ですか?」

「いやー日本人です」

「アイグー、ハングル新聞読む社長サンのような年寄り日本人、初めて見たヨ。ヨンセガオルマジョ（お年はおいくつですか）？」

初対面の韓国人は必ず年を聞く。一歳でも年上なら威張れるからだろう。

「八十六歳」

「眼鏡なしで新聞読めるの？」

たたみかけて聞いてくるお喋りアジュモニ、少々うんざりしてきた。

「私は生まれてから今日まで、眼鏡のお世話になったことはない。顔と頭と心は悪いが、目だけは良いのだ」

小鼻をうごめかして教えてやった。途端にアジュモニは、

「アイグーアイゴー、アイゴモニー（アラーマアー、ヒヤー）」

素っ頓狂な声をだして隣に座る連れらしいアジュモニ達に、「この社長サンはなあー」と、得意顔で宣伝しだした。

素知らぬ顔で新聞を読んでいたが、「この社長サン、この社長サン」が耳障りだ。

「アジュモニム（おばさま）、私は社長ではない、会長なんです」

「なんの会長サンですか？」

「天理教の会長！」

胸を張り、一段と声を張り上げた。

途端にアジュモニムが声をひそめ、しかめっ面。

実は、天理教と真理教の韓国語発音がよく似ているうえに、私の発音が不正確だったのか、アジュモニムが聞き損なったのか、真理教と聞いたようだ。

「このハラボジ（爺さん）、東京で大勢の人を殺したアノ真理教の会長ダトヨー」

社長サンがお爺さんになってしまったばかりか、オウム真理教の会長になってしまった。

このまま聞き逃すわけにはいかぬ。においがけのチャンス到来、連中に天理教の話をした。目の良いのも親神様のお陰と神名を称え、おぢば帰りをすすめ、再会を約して別れた。

自教会に帰り、久し振りに日本の新聞を広げて、魂消た。

アア、最高の幸せ者

ナントそこには、目から鱗の記事があった。

第十三回ヴァン・クライバーン国際ピアノコンクールで優勝した二十歳。全盲の辻井伸行さんのインタビュー記事。

「もし、目が見えたら、なにを見たいですか？」

「お母さんの顔」

返答のその文字に、私の目は据わった。見入る文字がかすんでくる。

「かしもの、かりもの」を口にし、たんのうを心掛けてはいるものの、「よい目だ」とうぬぼれて自慢はしても、親の顔見て、見えて、「ありがたい」と喜んだ日があっただろうか。

見て当たり前、見えて当たり前、感謝と喜びのない信心は、信心ではないのではないか。

「全盲なので、努力はしました。不幸せと思ったことはありません。ボクは最高の幸せ者です」

私は目頭を押えた。涙腺がゆるみ、文字を濡らした。

六月九日、忘れようとて忘れられない日になった。

「アアー、世界に道があった」

令和二年、立教百八十三年、三度目の会長としておぢばのお許しを戴いた夢ノ架橋分教会の月次祭日、九日の所以である。

私の弟は、松葉杖を離せない障害者だったが、「ボクほど幸せ者はいない」と喜び勇んで、見ず知らずの遠隔地埼玉は幸手（さって）で、厳寒の十二月十四日、鶏小屋軒先の宿泊を門出に単独布教を始め、関八州（かんはっしゅう）分教会を設立した。

全盲の辻井伸行さんは「最高の幸せ者」と言って、ピアノコンクールチャンピオンになった。

松葉杖に縋る障害者の弟は、「ボクほど幸せ者はいない」と言って、関八州分教会長になった。

私は昭和五十年、天理市福住町で特別養護老人ホーム「やすらぎ園」を設立したが、創立十周年記念祭に、お入り込みくださった三代真柱善衞様に、

「弟は、関八州の名称をいただきながら、関一州で申し訳ございません」

と申し上げると、

「そんなこと、言うたげナー。ようやってくれてるのヤー」

お優しい、有り難い勿体ない真柱様のお言葉。戴く弟は、真の幸せ者になった。

身体の障害は、不自由で、不幸せで、ある筈の二人の「最高の幸せ者」の叫びは、なに不自由ない健常者が、ともすればヒト・モノ・カネ・チイに縋ろうとする安易な浅ましい処世に、警鐘を鳴らす雄叫びなのだ。

ピョルソゲアンネ（別席のしおり）

天理大学朝鮮語学科の鄭碕鎬（チョンキホウ）先生に、プライベートレッスンで韓国語を習った。韓国布教するためである。

最初に出会った韓国人が先生、最初の人をにおいがけ出来ないようでは韓国へ布教に行っても？　と思っていたから、韓国語を教えて頂きながら先生をにおいがけた。

先生は別席を運ばれ、おさづけ拝戴。韓国第一号のようぼくが誕生した。

先生が天理大学を退職し、インチョン仁荷（ニンハ）大学に転職された。文学博士を取得されるや何の連絡もせず、私は突然先生のアパートを訪れ、ホテル代わりに宿泊した。連絡すれば必ずお断わりになる。虎穴に入らずんば虎児を得ず。勿論宿泊代はタダ、食事は奥様の手料理、外食代はすべて先生持ち、正に大名布教？　を始めた。

ある日、出会った韓国人と名刺を交換し、ピョルソゲアンネ（別席のしおり）を渡

しておぢば帰りと別席の話をすると態度豹変、

「初対面では、政治と宗教の話をしないのがジェントルマンだ。私はクリスチャン、礼儀知らずの野蛮人の別席ナンテとんでもない」

一喝、ピョルソゲアンネをズタズタに破り投げ捨て、踏んづけた。断わるのはよいが、尊いしおりを破り踏んづけるとは、腹の虫が騒ぎ出して悟った。

「韓国語で誓いの言葉を覚え、すすめていれば、破れないし踏んづけようがない。誓いの言葉を韓国語で覚えよとのお知らせだ」

鄭碕鎬先生は天理教用語を十分知らないので、帰国して、先生の教え子天理大学朝鮮語学科の教授松尾勇先生に、発音の教えを乞うた。松尾先生は、

「八木大教会から韓国布教に大勢行ったが、植田さんのように誓いの言葉を覚えて行った者はいない。これからは誓いの言葉の習得だ」

背を押してくださった。

再び、ジェントルマン・クリスチャンに会いに行った。

「ナーニシニ、キタカ」

両手で制止するのもかまわず、大声で韓国語で誓いの言葉を披露し、別席をすすめた。

「綺麗で正確な韓国語。韓国人より上手だ。ノラッタ（驚いた）、よく覚えたネー」

「アッタリマエダ、私のお父さん、どんなお方か知っているか？」

「総理大臣か？」

「もっともっとえらーいお方だ」

言うなり、遠い遠いその昔、親神様は人間をつくりたもうたお父様、と親神様の歌を大声で歌い、「お父様は天理王命だ」と宣言した。

「ノラッタ、ノラッタ。アンタのお父さん、神サンか？　別席いくヨー」

「ダメダ、紙（神）を踏んづけたアナタが紙（神）の話を聞くという。つまり私は不可能を可能にした。だからアナタも、不可能を可能にしなければならない」

「それは、どう言うことか？」

「今年は中和大教会創立百周年、百人のヒト連れて別席だ」

「ファー大きな話、チェミイックニョ（面白い）、やって見よう」

そして、中和大教会創立百周年に百十二名が別席を運んだ。

その話がだんだん韓国で伝わっていったのか、数年前、突然、見知らぬ韓国青年会の錚々（そう）たる人達十数名が、私に会って話を聞きたいと、髙尚佳分教会へ研修にやって来た。

質疑応答、ねりあいを重ねていると、韓国での講演を頼まれた。

韓国伝道庁で、韓国語で半時間、日本語で一時間、講演をした。

講演後、養徳社発行の自書『さぁ、これからや』の韓国語版、『チャ・イゼプトヤ』のサイン会には、大勢の人達が並んでくださった。盛会だった。

たかがピョルソゲアンネ、されどピョルソゲアンネ。

マウメチング（心の友）

韓国ようぼく第一号の鄭碕鎬先生は、東豆川市名誉市民・韓国漢字普及委員長・仁荷大学名誉教授・文学博士・両班ヤンバン十五代目当主だった。

ヤンバンとは、高麗時代の特権的官僚階級、官位官職を独占世襲し、種々の特権特典を受けた。今も東豆川市の入り口には、―鄭家の家―の看板がある。かつては市長にと依頼されたが、「学者は政治には……」とお断わりになった経歴もある。

その高名な先生が「珍しい性格の良い女」と保証、推薦されたので、私を日本のお父さんと呼ぶユウヨンスクを理の娘とした。

娘ユウヨンスクのマウメチング（心の友）に、ノ・ソンエさん（五十五歳）がいた。

そのノ・ソンエさんが胃ガンになり、命旦夕に迫った。

「彼女にもしものことがあれば、私は生きてはいけない。是非助けてー」

ユウヨンスクのたっての願いに、私はインチョンから自動車で約二時間半、江原道（コウゲンドウ）洪川郡へおたすけに行った。

初対面のノ・ソンエさんは、心に柔軟性を持つ実に聡明な女性だった。さすがユウヨンスクのマウメチングだと感心した。

ノ・ソンエさんは修養科志願の心定めをしたので、おさづけを取り次いだ。一人息子のオ・ヒョンミンも懸命に手を合わせた。

帰国した私は毎早朝、おぢばへ帰り教祖にお願いをした。

しかし数週間後、ノ・ソンエさんは死亡。主人呉京男（オキョンナム）さんや一人息子の落胆この上もなく、ユウヨンスクは、神も仏もないと打ち萎れ、私は神意を図りかね、ただただ呆然とするばかりだった。

数カ月後、ノ・ソンエさん自筆の遺言書が発見された。アメリカにいるマウメチング宛である。

「私が死んだら、アナタは知らないけれど、韓国にいる私のマウメチング、ユウヨンスクを私の代わりのマウメチングとして、付き合ってほしい。お願い――」

主人県京男さんは、夫の自分宛でないのに驚き、遺言書をアメリカへ送った。

アメリカ在のマウメチングは、アメリカ人の夫と二人、早速韓国へやって来て、理の娘ユウヨンスクと固い固いマウメチングの契りを結んだ。

夫のアメリカ人は元軍人だった。いじめの厳しい上官の軍隊生活に耐えかね、ピストル自殺を図った。弾は喉から頭へと貫通したのに、一命を取り止めた。退役後の裁判で、いじめた上官が悪いと判決。いまは保証金で結構に暮らしているという。

数奇な運命を聞いたユウヨンスク、「神様の手引き」だと諭し、人間のふるさとおちば帰りをすすめたので、アメリカのマウメチングは来年韓国へ来て、日本へ立ち寄り、おぢば帰りを約束した。

不思議不思議で驚きっぱなしのオ・キョンナムさんは、令和が始まった四月の教祖誕生祭に、息子と二人、ユウヨンスクの案内でおぢば帰りをし、別席を運んだ。

真実の心一つで世界は動く。ああーマウメチング。

台湾布教裏表

守れ、小さな約束

中和大教会創立百周年に、韓国語の別席の誓いを丸暗記しただけで、百十二名の別席者が出来た。

あまりの別席者の多さに驚き感心したのが、髙尚佳分教会の筆頭役員さん。「私を慰労する」と、台湾旅行に連れて行ってくれた。台湾旅行は初めてだ。

台北のホテルに到着すると、筆頭役員さんを社長と呼び、社長の手下で呉老烈(ゴロウレツ)だと名乗る、背の高い男がやって来た。苦みの走った顔は台湾のソノ筋の者に違いない。筆頭役員さんは、山口組金庫番ナンバー2の宅見勝組長の客人だと、日頃公言しているから、その筋で台湾へも足を踏み入れているようだ。

呉老烈の後ろには、綺麗な女性が二人立っている。彼は上手な日本語で、

「コノ女は、会長サンの台湾での妻だヨー。好きなほうを選べ」

私は直ぐに断わった。

「会長サン、キャンセルすると、オレ、社長サンに叱られるヨ。オレにはこんな女、百人いるヨ。日本から来たノウキョウの人達、みんな『呉サン、シエシエ』と言って帰って行ったヨ」

「呉サン、社長にはオレから言うから心配するな。オレはなあ、天理教の会長なんだ。だから、お断わりだ。それより呉サン、こんな女の人百人も、そんな仕事はダメだ。足洗え」

「足洗えって、やめることか？　コノ世界は、それはデケン」

「それだったら、呉サン、この仕事はホコリがカラダについて、風呂に入らんとカラダもたんから、風呂に入れ！」

「フローってシャワーだろう。オレは毎晩……」

「そのシャワーでない。天理へ来て神様のお話——別席を聞いて、心をシャワーするのだ。もし呉サンが天理へ来るんだったら、費用はオレが持ってやるヨ」

タダが、呉サンの気に入ったようだ。

心変わりしないうちにと、呉サンを連れてフロントへ行き、台北発伊丹着の飛行機を調べ、呉サンと来日の日と時間を約束し、別れた。

当日、伊丹空港で首を長くして待ったが、呉サンが現れない。乗客名簿を調べると、呉サン搭乗の名前がない。搭乗していないのだ。

怒りがこみあげてくる。腹の虫がおさまらない。

伊丹空港から呉老烈に電話した。

呉サンは基隆の自宅に居た。

今日の一針、明日の十針

「バカか、会長サン。伊丹で待っているナンテ、オレはなあ、女の手配は上手だが、飛行機の手配はデケンから、友達の東南旅行社の社長に頼んだが、社長忙しくてうまくいかなかったンダ」

「コラ、ゴ・ロウレッ、屁理屈言うな。今日の夕方、台北へ行くから台北で待ってろ！」

キャンセルの切符を手に入れ、直ぐ伊丹空港から台北へ翔んだ。

台北ではゴ・ロウレッが待っていた。

「会長サン、ナーニシニ、来たか？」

「約束守らんゴ・ロウレッには用はない。東南旅行社の社長に会いに来たのだ」

「バカかー会長サン、こんな夕方、会社には誰も居らん。社長はアメリカへ行って留守だ」

「ゴチャゴチャ言うな。東南旅行社へ案内シロ――」

東南旅行社には赤々と電灯が灯っていた。

社長室では、社長が大きな椅子に座っている。

「ウワアー、会長サンは神サンだ。ウワアー、居ない社長がいるヨー」

ビックリ仰天、目はうつろ。呉サンの涙声を尻目に、社長は私に握手を求め、微笑んだ。私は初対面の挨拶もそこそこに、英語も日本語も堪能だという社長に、一気呵成に話した。

「初体験の台湾で、最初の男と男の小さな約束をしたが、呉さんは破った。私は台湾人を見損なった。イヤ私に、台湾人を見る目がなかったのだ。小さな約束を守れないで、なにが大きな仕事が出来るものか。聞けば多忙な社長のせいで、約束を守れなかったと言う。台北一、二と聞く東南旅行社の社長が、小さな約束を守れない友人を持つようでは、会社の将来、私は失礼ながら危惧する。

そのことを社長に耳入れしようと、思い立ったが吉日と日本で言うから、今日思い立ち、今日台北へ翔んで来た。ゴ・ロウレッツを責めても、社長を責める気は毛頭ない」

聞き終えた社長は、私に握手を求めながら、目を輝かせて言った。

「会長サンの男の気持ち、気に入ったネー。呉サンの失敗は、私が手を打つヨ。我が社あげて、その別席とやらの天理行き、五十人ほど募集してはどうですか？　それで会長サン、ドウカ機嫌なおしてください」

まさに目からウロコ、異論のはさむ余地はない。

私は、世界のビジネスで、その存在感増すばかりの、華僑の血を引く台湾人の、その性根のスゴサに脱帽した。

呉サンは責任を感じたのか、単身おぢば帰りして別席を運び、おさづけを拝戴して団参募集の案内役となった。

「心の精神の理によって働かそう。精神一つの理によって、一人万人に向かう。神は心に乗りて働く。心さえしっかりすれば、神が自由自在に心に乗りて働く程に」

（おさしづ　明治31・10・2）


ふわふわの心では、ご守護頂けないようだ。

「今日の一針、明日の十針」

持病のゼンソクで、ヒイヒイ、ゼーゼー喉を鳴らし肩で息をしながら、昼は村方においがけ・おたすけ、夜は瘦せた体の細腕針仕事。明治女のど根性。胸に迫る母の口癖が、台湾布教に生きた。

面映い他人の空似

東南旅行社が募集したおぢば帰り団参は、社長の友人呉さんが中心になってやったものだから、五十人の天理行き団参のなかには、ゴ・ロウレツの抱える女の人が十数人いた。

中和詰所宿泊二日目、主任先生から苦情が出た。

「植田クン、台湾布教ご苦労さんやがナー。チッと考えて布教してくれんとアカンデー」

「ハイ、なにかあったンデッカ?」

「実はナー、昨晩、女の人数人やって来て、『オトコのヒト世話しなさい』って言うて来たがナ。ここはそんな所ではない。そこら辺のホテルと間違うな、と追っ払ったが、なにやらブツブツ言うて出ていった。植田クン困るデー、変な人連れて来てくれたら……」

「えらいスンマヘン」

と謝ったものの、

「変な人連れて来ては困る」

ひと言が頭にカチンときた。

「主任先生、天理教は谷底せり上げの宗教デッシャロ。詰所や教会に役立つヒト集めたら、おたすけの天理教と違いマッセー。我が身たすかりの天理教になりマッセー。

変な人を変でない人になってもらうよう世話するのが、詰所や教会の仕事やオマヘンカ？　変な人百人抱えているゴ・ロウレッツさんが中心の団参です。人生、裏もあれば表もありマッセー、よろしゅうに」

呉サンには、変な女の人達集めて、説教するように話した。説教内容を教え、数回テストした。

「ここは、ようこそお帰りの、人間世界をお創りくださった親里。親の元へ帰ってきたのだから、台湾での裏道を忘れてユックリ足腰を伸ばせ。親の元へ帰ってきてまで、腰を使うて働くな。親が心配するがナ。親を心配さすのは一番の親不孝者ヤ」

翌日、変な女の人達を集めて大声で説教する呉サンの話を、隣室で聞いていたという変でない女の人がやって来た。

日本語ができないから、通訳に元小学校の先生だったという欧サンと名乗る婦人と二人。女は林月照（りんげっしょう）と名乗り、懐から私とそっくりな写真を取りだした。

彼女は高砂族出身だからと差別され、いじめられた。

主人は外省人（台湾では、大陸出身は外省人。台湾出身は内省人と区別して差別する）。

「だから夫婦ともに苦労した。初めて日本へ来て、余りにも会長サンと亡き父がソックリなので、びっくりした。五歳のとき母は亡くなったが、父は再婚もせず、苦労して一人娘の私を育ててくれた。結婚する前に父は亡くなったので、本当に父にはナニもしてやらなかった。昨晩、呉サンの親不孝の話を聞いた。呉サンは、ここは親の元だと言った。親の神様が、心配ばかりかけナニモしてやらなかった父とソックリな会長サンに逢わせてくれた。会長サンお願い、日本のお父さんになって……。親孝行スルヨ、親孝行サセテクダサイ」

通訳婦人欧サンの涙ながらの頼みに、三人は肩を抱きあって共に涙した。

私は、不思議な縁結びにお働きくださる存命の教祖に、お礼の涙に咽（むせ）んだ。

林月照が知人に、素晴らしい日本のお父さんが誕生したと宣伝して廻る。珍しい話に人が集まる。

真実尽くす彼女の親孝行の姿に人びとは目を見張り、興味津々と人びとが集まるようになった。

面映ゆい他人の空似、面映ゆいご守護。

アウトオブザ・ブルー

台北の東南旅行社募集のおぢば帰り団参は、大成功に終わった。五十名全員が、喜んで別席を運んでくださったのだ。

そのうちの高雄からの参加者十数名は、天理でお世話になったお礼だと、私達夫婦を高雄に招待してくださった。

高雄は人口約二百八十万人、台北に次ぐ台湾第二の経済文化拠点都市。台湾を代表する貿易港であるが、私はその高雄に特に愛着を感じた。
＊身体障害者の弟の名前がタカオ

＊天理駅裏の食堂店名がタカオ。マスター夫婦は高尚佳分教会ようぼく

＊誕生した台湾娘林月照の住所はタカオ

なにかの運命を感じるタカオでの歓迎パーティー。宴たけなわの時、建工街の欧劉培、中華一路の曽協興、鼓元街の洪曜栄の三人が耳寄りな話を私にしかけた。

「天理では、別席より何よりも、実はなんと言っても、会長サンの奥さんの笑顔が良かったネー。奥さんの笑顔で、私達天理教好きになったヨー。そこで三人相談して、曽サンのアパートの一室借りたから、会長サン夫婦揃って高雄へ来て欲しい。娘の林月照もいることだから」

アウトオブザ・ブルー青空から突然の稲妻。藪から棒。

頬に熱いモノが流れる。高尚佳高雄布教所の始まりだった。

中和大教会長だった植田平一先生は、私に何度もおっしゃった。

「ヨシオさん、記世子さん（妻）の笑顔ヨシは、中和一ヤー」

その昔、破竹の勢いで大阪単独布教していた頃、記世子の母はガン、命旦夕に迫っ

た。

お寺の檀家総代で、消沈しきっている義父に、

「上級浮孔分教会に大教会級のデッカイ太鼓を供え、ドンドン叩けば神サン、ガン吹っ飛ばす」

と、高額な太鼓を献納させた。

ところがその数日後、出直してしまった。私は弁明の言葉を無くし、受けるであろう非難攻撃に身を縮め、恐る恐る謝りに行った。

「言う通りにしてアカンかったんやから、天命や――。言う通りにしていなかったら、言う通りにしていたらと、悔いが残る。結構やった。謝らんでエエ」

お道の人でも至難な出直しのたんのうを、道知らぬ人がする。徳者の片鱗を垣間見た。その親のお徳を一人娘だった妻が頂き、大教会長様にまで褒めて頂いた。

台湾の人達に、妻はひと言もにおいがけしていないのに、においがけした笑顔ヨシ。徳とはチカラだ。他人を引きつけ動かすチカラなのだ。

「不自由の処たんのうするはたんのう。徳を積むという。受け取るという」

やがて曽恊興サンの一室では参拝者が入りきれなくなり、移転すること数回。

いま、新幹線高雄駅の近く、中正三路のビル六階の三十畳で、長男和仁が男鳴り物揃え、参拝者二十数名とともに月次祭を勤めている。

一に勢い信州布教

ホーイさん

信州諏訪湖畔の雪化粧は眩しく輝き、軒先のツララは虹の光を放つ。妙なるコントラストに身を引き締めた。

路地裏の家々はかたく戸を閉ざしている。思い切って大通りへ出た。大きな家が目についた。どうぞお入り、と言わんばかりに戸は開き、玄関に履き物が散らかっている。留守でない証拠だ。ここへ入ろう。神様の先回りかも知れない。

「ごめんください」

勢いよくとびこんだが、声のあまりにも弱々しさに、我ながら腹立たしい。

案の定なんの返事もない。何事も思い切りが因縁切り。信州布教は、まず発声練習から。

「こんにちは、おはようございます。お早うーさーんです」

三度文句を変え、腹の底から声を出した。

「ホーイ」

効果てきめん。返事は返ってきたが、ハイでもヘイでもない変な返事で、声の主は現れない。

「天理教の者ですが、神様の話、聞いてくれませんか?」

とうとう用向きを怒鳴ったが、返事はない。

返事がないからと、そのまま引き下がるようでは神の理が立たぬ。もともと天理教の神は無理矢理と言える強引さで、中山みき様を神のやしろに貰い受けたではないか。

それに先ほどは鶴の一声ならぬホーイのひと声もあることだ。ここは一つ、道徳の理は立たずとも、神の理を立てよう。不法侵入がナンダ。

「上がらせてもらいますヨー」

言うが早いか靴を脱ぎ玄関へ上がり、次の間の障子を開けたが、誰もいない。エーイ、こうなったらもう五十歩百歩、奥の奥まで入ってやれ。

次の間の襖に手をかけ、サッと開いた向こうには、ホーイの主らしい年配の男性が布団の上に突っ立っていた。こちらもビックリしたが、不意を衝かれたホーイさんも驚いた。

「ウー」声にならないウメキ声を出して布団に潜り込む。だが、潜り方が普通でない。半身不随、中風とお見受けした。

「ご病気ですネ?」

動転ホーイさんを和らげようと優しく声をかけるも、ホーイさん、頭から布団をかぶって返事をしない。

「ご病気なら、ぜひ、神様のお話を」

言い終わらぬうちに、困惑と憎悪に満ちた顔を布団から出し、吐き捨てた。

おたすけ問答

「神様って、そんなものネエズラ。オラア真っ直ぐ正直に生きてきた。それなのに、中気になって、口と腹の違う奴らが達者ナンテ、神も仏もネエズラ」

ホーイさん、怒り出すとよどみなく言葉が出る。怒り中気かも知れぬ。

悪人が栄え、善人が不幸せ。正直者が馬鹿を見ている。だから神も仏もないと、言いたいのだ。

「アナタはネ、病気は『神様が罰を当てた』と、思っているから腹が立つんです。昔から言うでしょう。『可愛い子には旅させよ』って、アナタは真っ直ぐに生きてきた可愛いい人だから、神様は病気と言う名の旅に出しているんですヨ」

「ナーニー、ビョウ、ビョウキは旅だと?」

予想外に興奮し、興味を示す。根は人がよさそうだ。

「天理教では、病気や悩み事を道の華と言います。花が咲いて幸せという実がのります。空気も水もお日サマもすべて神様のお働き、神様は無いナンテ、そんな寂しいケチな根性、捨てなさいヨ」

「でも、おまえサン、テンリン教って、屋敷を払ってのソレだろう。オラアご免だヨー」

「ナニ言ってるんですか。アナタのような不平に不満の陰気な心の屋敷を早く払って、陽気で明るい屋敷に住め、ということですヨ」

「そうは言ってもおまえサン、裏の柿の木で首ククリ給え、やっぱしイヤだよ」

ホーイさん、本当の教理はちっとも知らないで、悪評はよくご存じだ。

「それはネー、別に柿の木のお世話にならず、今までのアナタは死ね、と言うこと。

新しく生まれ変わるのです。出直しと言ってネー、心を出直すのです」

ホーイさん、ウウウーッと声にならないうなり声を出す。

「神様のお話聞いて、心を入れ替え、喜びの毎日を、中気の旅から帰していただきましょう」

勢いという勇み心の前には、ジメジメしたホーイ理論も吹っ飛ぶ。

「さあ、拝みますヨー。うっとうしいアナタは死んで、新しいアナタの目出度い誕生です」

間髪入れぬおさづけの取り次ぎに、ホーイさん、目をつむった。

お好きなようにと完全脱帽、神妙になった態度は、アナタ任せの幼児に戻った。

歳も住所も聞かなかった。知る必要はない。

すべては神が見抜き見通し。たすけ一条の気鋭は最高潮、神に直結、朗朗と響き渡った祈りの声。

「また、来てくれヨナー」

いとまを告げる背に追いすがるヒト声。布教師にとって、これほど身に余る冥利につきる言葉はない。軒先の紅（くれない）に輝くツララが霞む。心は躍る。

風邪は何処から

翌朝、ホーイさんのお家へ行くと、昨日とちがい玄関は綺麗、生け花まで。出てきた婦人はホーイさんの女房。

「昨日は、別間で聞いていた。ずいぶん強引な宗教なので止めようとしたが、風邪をひいていて起きられなかった。ウチは宗教がちがうから、もう来ないでいただきたい」

断わる言葉は丁重だが、夫人の目は妥協を許さぬ厳しさ。

「イヤー危機一髪、奥さんがお元気でしたら門前払い。神サンが奥さんに風邪をひかせてネ」

「主人はまた来てくれと言ったようですが、とにかくウチは宗教が違います。神サン神サンって、どうかお引き取りを！」

夫人の声は怒気を帯びてきたが、こちらも大阪で鍛え上げた布教師だ。そう簡単には引き取れない。

「奥さん、お言葉を返すようですが、宗教が違うからこそ、聞いていただかねばなりません。同じ宗教なら今さらお聞きにならなくても」

意表を突かれたのか夫人、しぶしぶホーイさんの部屋へ案内してくれた。

ホーイさんは昨日と違い、ヒゲも剃ってもらい、上機嫌の笑顔で迎えてくれた。

ホーイさんを拝むまえに夫人に話をせねばならぬ。夫人と対座した。

「奥さん、昨日は神様のお話盗み聞きされましたが、今日は正面切ってお聞きください。奥さんは風邪をひいているとおっしゃいましたが、風邪はどこから、どうしてひくかご存じですか？」

突っ拍子もない質問に、夫人は面食らった。才媛は得てしてこういう質問に弱い。

「風邪はネー奥さん、顔でひくんです」

「ヘー」

「昔から風邪は万病の元と言います。万病とは四百四病、顔にある四つの器官からです」

「マアー」

「見て身びいき、聞いて身びいき、話して食べて、四つの器官を我が身可愛いと襖や障子をひくようにひくからです」

「ハアー」

ヘー・マー・ハアーの相槌（あいづち）に乗って身上かしもの・かりものを話した。

「イヤー奥さん、長談義をしました」

「とんでもございません。天理教のお話って、楽しくて、よーく分かりました」

「よーくお分かりくださったのでしたら、別席を」

別席について説明、実行を促した。結構なお話ですが、内々相談をして。

事なかれ才女の返答に、腹の虫が騒ぎ出す。

ダメ押し

単刀直入に話した。

「先ほどは奥さん、神様のお話、よーく分かりましたと言われましたが、ちっともお分かりやなかったンですネー」

「いいえ、よく分かっておりますノヨ」

「じゃ、お尋ねしますが、奥さん、お風邪をひかれたのはうちうちご相談なさってひかれたのですか?」

夫人は目を丸め、大きく首を振った。

「奥さんが風邪をひかれると、ご主人やご家族の方が迷惑なさる。その迷惑かける風邪ですら、どなたにも相談されずにひかれた。神様のお話別席を、どうしてご相談を？」

夫人は私の話をさえぎり、心を定めた。

夫人の心定めを見定めたので、ホーイさんにおさづけを取り次ごうとすると、ホーイさん。

「オラもベッゼキ（別席）、行くだ」

「もう少し元気になって歩けるようになってから」

慰める夫人に、

「奥さん、そんな悠長な別席はダメなんです。神様は、さあといえばさあ、いまといえばいま、とおっしゃいました。善は急げと昔から言うのですから、急ぎましょう」

「ヒトにすがっても歩けない主人です。ヒト様に迷惑をかけては……」

「足の立たない人が足立つおぢばです。ヘリコプターを頼みます。チャーターしたヘリコプターでおぢば帰りです」

新聞社空輸関係に勤務するエライイサンの友人がいる。その友人に頼めばなんとかなりそう。

半信半疑ながら夫人も同意した。布団叩いて喜ぶホーイさん。

依頼した友人は、八方手を尽くしてくれたが、事は簡単でなく、結局ヘリコプターのおぢば帰りは不可能となった。

大言壮語の結末をどうするか。天理教の二枚舌との非難を苦慮しながら信州へ戻ると、戻る前日にホーイさんは亡くなっていた。

「ヘリコプターまで、用意して頂いたのに」

心底から感謝されている夫人やご家族に、約束反故失敗の事実を知らす必要はなかろう。

亡きホーイさんの満中陰法要を終えた奥さん、ホーイさんのお望みだったベッゼキを運ばれたのは言うまでもない。

人間思案はいらんもの、神が見分けくださる。さあ神にもたれてどこまでも。

においがけ談義

たすかるか、たすからないか

困難な身上や事情を、神様にお願いするのは、自然の成り行きだが、たすかるためには、まず神様を信じなければならない。

神様を信じないで、たすけてくれと頼むのは、泥棒しておいて、たすけてくれと頼むようなもの。

神様を信じるようになるには、神様の話をする人（天理教ではようぼく）、その人が信じられるかどうか。たすかるかたすからないか、別れ道でもある。

ところで、「感動」「感化」という言葉がある。

人間は感じて動き、感じて変化する。

導く人が一生懸命になっていると、その気持ちが知らず知らずのうちに相手に伝わり、言葉を越えて相手を動かし変化させるものである。

明治三十五年生まれの私の母は、朝早く起きて、カマドで煙にいぶされながら御飯を炊き、洗濯し、掃除し、夜は寝ないで針仕事に精出し、動き廻って育ててくれた。別に親孝行を説かれなくても、大きくなったら母を喜ばしてやろうと思ったものだ。母の痩せた後ろ姿は、子供にとって一生忘れ難い思い出である。

我が家は貧しかった。一つのタマゴを祖母・母・子供二人で分けるため、それをゆでて四等分した。生のタマゴは四等分するのが困難だから、貧しいあまりの母の知恵だった。

先日、娘のつくった漬け物がおいしくて、タマゴよりお漬け物を所望すると、漏らした娘のひと言、「お漬け物はタマゴより高いのに……」に驚いた。

時の流れは、高値貴重品だったタマゴを、安価でありふれた品に変えてしまったらしい。

御飯は寝ている間に自動的に炊けている。洗濯はテレビを見ている間に機械がやってくれる。家庭の中に感動や感化の機会がだんだん少なくなってきたようだ。

だから、神様の話を取り次ぐ者はなおさら、感動、感化が重要になってきた。熱のこもった話し方。高いボルテージを感じさせる行動力、ランランと輝く眼。力強い声の講話といったものが、たすかりたいと願う人の、神様を信じさせる原点となるのではないだろうか。

教祖はたすけを乞う飯降伊蔵さんに「たすけてやろう」と力強く断言され、次いで「救けてやろ。救けてやるけれども、天理王命という神は、初めての事なれば、誠にする事むつかしかろ」と仰せになった。さらにこかんさんから「神様は、救けてやろ、と仰しゃるにつき、案じてはいかん」と教えられて、神様を信じきられた伊蔵さんは、見事おたすけをいただかれたが、こかんさんのひと声が大きい。
疑い深いは人の常。それをどう乗り越えるか。たすかるか、たすからないかだ。

雨洗風磨（うせんふうま）

私は、関西棋院囲碁五段の免許を取得、天理市柳本町で囲碁クラブの会長をつとめている。

関西棋院には、今は亡き治文分教会長の本部員今村俊三先生のご子息、今村俊也九段が居られ、渉外ネット理事として活躍、NHK日曜日番組―囲碁フォーカスにたびたび出演され、『陽気』誌の囲碁（次の一手）の出題者だから、全国にファンが多い。

その関西棋院の創立六十周年記念出版本に、『雨洗風磨（うせんふうま）』がある。

―雨洗風磨―とは、文字通り、雨に洗われ、風に磨かれ、ものになるという四字熟語である。

人は、人生の辛苦をなめ苦難に耐えて、初めて立派な人物ができるものであり、温室育ちや、親の七光りでは、本当の人物は育たない。

生まれたときから、物に溢れ、何不自由なく恵まれたなかで育てられた人は、幸せな反面、そのぶん心の葛藤(かっとう)も少なく、苦労も少ないだけに、精神的にひ弱な人間になりかねない。

人間として生きる力は、いつの時代どの世界でも、求められている。

神の道は胸の道。世上の道はどんな事して居ても、目にさえ見えねば通りて行ける。なれど胸の道は、皆身に掛かる。道に二つある、世上の道、胸の道。

(おさしづ　明治24・1・27)

世上の道とは、世間一般の人間的努力の道であろう。

もう一つの道、それは心の道。つまり真実誠の心の自分をつくる道、信心の道であろう。

努力し苦労して立派なタレント・アスリート、学者や財産家になっても、人を怨み憎しみ、心が不足不満で立腹し、憤懣（ふんまん）のホコリまみれでは、心の道が運命になるということである。

柳本囲碁クラブでの、教祖ご在世時代の柳本町美人娘の目のご守護話・ようぼく今村俊也九段の話・記念出版本『雨洗風磨』の話。三点セット話のお陰で、数名が別席をお運びくださった。

芸が身を助けるほどの囲碁芸でないが、雨洗風磨たすけ一条胸の道だ。

理前の話

テレビの大河ドラマで、戦国時代の歴史物がよく出るが、川中島の戦いで、越後の上杉謙信が、塩のない甲斐の国の武田信玄に塩を送った話が、美談として有名である。この話を教祖にされた方がおられたという。

話を聞かれた教祖は、「それは理前の話やなあ」とおっしゃった。そして「敵に塩を送る前に、人間同士が争うことが理にかなわんのやで」とお諭しくださったという。「お道はこうあるべきだ」という意見が、不足から出発していれば理前の話である。

修養科も終え、教えに感激してつくし・はこび・ひのきしんに励み、教会長まで務めていた人が、教祖の教えと組織の流れに矛盾を感じ、ついていけないと不足して会長も信心も辞めた。

どんなに素晴らしい考え行いであっても、不足から出た話は、やはり不足の話、理前の話である。

『教祖伝逸話篇』に、「人がめどか、神がめどか。神さんめどやで」とある。

親神様と自分、教祖と私。その心がしっかりと心に治まったなら、余計な不足が起こってこない。一切は神様のなさること、神様は親だから、子供可愛い・たすけてやりたい・成人させてやりたいお心一筋。それが自分にとって都合の悪いことであったとしても、自分の成人が足らんから親の心が分からないだけである。

教祖が若い青年に、次のようなお話をされていたと聞いたことがある。

「日々通る身上についての心の持ち方はなあ、人間はいやなものを見るとすぐにいややなあと思い、いやなことを聞くとすぐにいややなあと思う。その心がいかんのやで。その時の心の使い方が大切なのやで。いやなものを見、いやなものを見せられた時、いややなあと思う前に、ああ見えてよかった、有り難い結構やと思うて通らして貰うのやで。いやなこと聞いた時でも同じこと。いつの日いつの時でもそういう心で通りなされや。その心使いが自由用の守護が頂ける道になるのやで。むつかしいことないで」

嫌なことを見ても、目が見えるから見せて頂ける。嫌なことを聞いても、耳が聞こえるから聞かせて頂ける。嫌だと思う前に有り難いと喜ぶ。それが陽気ぐらしをするために、親神様が貸してくださっている道具の使い方。「難しいことないで」と、教祖は仰せになっている。

ところが、生身の人間にとっては実に難しい。いろんなことを見たり聞いたりして、不足したり人を咎めたり、ホコリを積みやすい。毎日嬉しく楽しく通らせて貰いたいと願いつつ、不平・不満・不足のホコリをまき散らかす。

教祖が「難しいことないで」とおっしゃっておられるのだから、親の思いをしっかり身につけ、おつとめを一生懸命に勤めて、あしきを払おう。

現場に宝

学生時代に同級生だった親友が亡くなった。

お悔やみに行くと、初対面である級友の娘が、

「あなたさまが、三段サンでいらっしゃいますか?」

学生時代、私はケンカが強くて、無段なのに柔道三段・剣道三段・空手三段の風評が立ち、あだ名が「三段」になっていた。

「亡き父は生前中、よく言っておりました。もしオレが変なことを口走るようになっ

たら、三段に相談しろ。三段ならきっとなんとかしてくれるゾー。父は本当に三段サマを心底から頼りにしておりました。変なことも言わずに逝ってしまいましたが、生前中のご交誼に感謝しております。有り難うございました」

親友の死亡という悲しみ悲嘆もさることながら、思いも寄らぬ想像以上によせていてくれていた信頼感に、私の涙腺がゆるんだ。

いまはもう跡形もないが、大阪ナンバに南海ホークスのホームグランド、大阪スタジアムとスケートリンクがあった。

その責任者支配人に、彼が就任した。

そうそうたる顔ぶれが集まる激励祝賀会で、私は友人代表天理教高橋分教会長として祝辞を頼まれた。

「学者のとった天下なし。こうすれば天下とれると説く人で天下とった例（たとえ）なく、経済学者がひと儲けした証（あかし）もない。現場と机の差だろう。我が天理教も、飲まず食わずで人たすけに精進した現場布教師の丹精によるものだ。キミ、大きな椅子に座るな。現場へ行け。入場券のキップもぎ取りの現場に立て。きっと宝が落ちている。マネージャー就任お目出度う」

感じるところがあったのか、彼はおぢば帰りをして、別席を運び、入場券のキップもぎ取りの最前線に立った。

学生時代の彼は、サッカーに熱をあげ、全くの野球オンチ。有名な野球選手を知らないで、キップもぎ取りの現場に立ったものだから、フリーパスで入場の有名な長嶋さんや王さんを、入場券なしだからと入場させなかったから問題になった。

彼は南海電鉄川勝社長から呼び出され、大目玉をくらった。

後日、

「やはり三段の言った通りだったヨー。現場には宝が落ちていた。大目玉という宝がネ」

大笑いしたものだった。

彼は、私の野球好き知人を大勢招待してくれた。

「三段も見に来い」と誘ってくれたが、「オレはラグビー好きで、手袋して棒をふりまわすような野球は嫌いだ」と断わると、

「何万人という観客が熱狂する現場に触れないで、何が大衆たすける宗教か」

と一喝してくれた彼だった。現場には宝が落ちている。

おたすけ談義

お柱サン、お壁サン、お天井サン

中国に「影を畏れ跡を悪む」の言葉がある。

自分の影と足跡におびえ、のがれ去ろうと逃げ廻り、日陰に居れば影は消え、動かなければ足跡はつかないという故事から、心静かに反省し修養することを知らず、いたずらに外見や、うわべに心をわずらわされていることの喩えである。

カゲといえば「お陰様で」というから陰が大事だ。

カゲで悪いことをする人は犯罪者。

カゲで人の悪口いう人は腹黒。

カゲで物やお金を大事にする人は物やお金に不自由しない。

カゲで人を大事にする人は人に恵まれる。

カゲが天理にかなっている人は信仰者。

三十歳のとき、大阪京橋のアパート三畳ひと間で、意気正に天を衝く単独布教を始めたが、数カ月で嘲笑反対に自信をなくし、恩師の許へ身の振り方の相談に行った。

恩師は、「キミはすること早いが、やめることも早い。イヤ、早すぎる。徳のウスイ証拠だ」と言いながら、目からウロコ、カゲの布教をお教えくださった。

「毎日百軒の戸別訪問に路傍講演、聞こえよい。いくら外面よくても、誰も見ていない三畳ひと間にいるカゲの時、人を見下す心、不平不満心を壁や柱や天井がみな見ている。人の見ている目の前には徳がない。人の見ていない見えないカゲに徳がある。徳のウスイ布教師ウエダヨシオの説く話に耳を傾けるほど、大阪の人はバカでない」

先生は手元の短冊に、「怒るは無知・泣くは修行・笑いは悟り」としたため、鯉の滝登りの墨絵を描いて手渡してくださった。

私は翌朝から、私のカゲを知っている三畳ひと間の壁や柱や天井に、楽しく嬉しく大声で朝席を聞かせた。

十日ほど経たある日、管理人の婦人が見えた。

「テンリンサンのお方ってお行儀エエデンナー。いつお越しになったのやら、いつお帰りになったのやら、ホンマお静かに」

お越しになっているのは壁サン柱サン天井サン、どなたも見えてない。

婦人は、まるで鳩が豆鉄砲食ったように目を丸くされた。やがてその目が潤(うる)んできた。

「なんでしたら明日から、私、聞かせて貰います。お柱サンのようにジッとしてはいませんが……」

一人の聞き手をお与え頂いた。数カ月後には、廊下にゴザを敷くほど、大勢の聞き手がお集まりくださるようになった。

安眠特効薬

「寝付きが悪くて困っています。睡眠薬を常用しているのですが、どうも熟睡できません。もう、夜の来るのが怖いぐらいです。生んでくれた親を恨む夜さえあるんです」

この世の苦を一身に引き受けたような深刻な眼差し。血色の悪い腫れっぽい顔。婦人の不眠とお薬の多用を物語っている。

「親を恨むナンテ、聞き捨てなりませんネ」

「いけないことは、よーく分かっているのですが、もう、ノイローゼなんですヨ」

「昔、悪い奴ほどよく眠る、という映画がありましたが、眠れない貴女はそれだけ人がよいのですヨ」

「人がよくても、眠れないのはどうも」

「一度限りの人生です。明るく陽気に歩みましょう。今晩からグッスリ休まれるように、特効薬を差し上げましょうか？」

「ホンマデッカ？」

「本当です。薬は薬でも、心の薬ですがネー」

「寝られるのでしたら、どんな薬でも」

「貴女は、体は自分のものと思っているでしょう。体は親神様からの借りモノ、呼吸を例にとっても、いま吸うて、いま吐き出して、と考えていると仕事は出来ずそれこそノイローゼになります。心だけが自分のモノとして自由に使うことを許されているのです」

「ハアー、なるほど」

「自分の責任で使う心に、体を貸して頂いているわけですから、寝にいくとは、つまり親という根にいく気持ち、心が大切です」

「根にいく、寝にいく。語呂合せもよろしいネ」

「おやすみになる前、洗顔なさるでしょう。顔も自分のモノでなく、借りモノの顔ですから、褒めるのです、貸し主を。ナント私は美人で綺麗でしょう。親神様ありがとう。聞いた親神様、あれだけ喜ぶなら、ああもしてやろう、こうもしてやろうと、ご守護くださるのです」

「貸し主にご機嫌を伺い、オベンチャラを?」

「親は子供が喜んでいるのが、一番うれしいものなのです。今晩から実行してください。大きな声で元気よく貸し主を称えましょう。ただし人の気配あれば小さい声で、気がふれたと心配させてはいけませんから。何遍言ったらよいか? って、二十一遍ぐらいどうですか? それでも寝付きが悪かったら、第二弾を用意しておきますから、但し第二弾は少々お金がかかりますが、ワッハッハー」

お別れしてから第二弾不用になっています。念のため。

(天理よろづ相談所病院「憩の家」事情部講師の時の安眠おたすけ十数名)

お手元拝見

孫の美穂が四、五歳のときに、「そこの新聞、持って来てんか」と頼んだ。

「自分のことは自分でしなさい」

と言ってプイと横を向く。

母親に言われているセリフが身について、受け売りする成人振りに、いささか驚かされたが、別に間違ったことを言っているのではない。

仕方なく自分で新聞を手にして考えた。

本当に人間は、自分のことは自分で出来るのだろうか？

―自分のことは自分でせよ―躾の正論である。

―自分のことは自分でする―渡世基本である。

だが、人間は、自分のことはどうしても自分で出来ないのではないか？

第一、この世に生まれてきたとき、自分の力でお母さんのお腹から出てきたか。お母さんの力みとナースさんの手助けあっての話。ヘソの緒を自分で切ったか。飲むお乳を自分でつくったか。オムツを自分で替えたか。

自分のことは何一つせず、人任せで大きくなった。

子供の時はしようがない。では大人になって、どうか？

住んでいる家・着ている衣服・お米に食べもの・電気にテレビ・新聞に雑誌・自動車に電車。すべて人様の作ったモノばかり。

イヤ、それだけの代価を払っていると、言うかも知れない。

リンゴ代金払った。

それはリンゴの収穫にまつわる肥料代や人件費などなど払っただけで、リンゴはもともとリンゴの木で、天地の恵みを受けて勝手に育った。

リンゴの木を制作した人はいないし、リンゴ代金を払った人もいない。

息をしなければ生きていけない大切な空気、空気代金支払ったか？　空気を自分でつくったのか?

いかな博士の名医でも、自分で自分を手術することはできない。

ありがたいおさづけも、自分で自分に取り次ぐことはできない。

人間は、自分のことは自分で何一つできないことを知り、人恩・天恩のなかで生かされていることを知ることが、人間の知恵というものではないだろうか。

自分のことは他人にまかせて、自分は他人のことをするように、天理が定まっているように思えてならない。

たすけあいとは、においがけ・おたすけ。

においがけ・おたすけとはたすけあいの極地だろう。

プイッと横向いた孫の美穂。いまは成人し子供二人、長男が高校生の母親だ。

負うた子、イヤ孫に教えられて浅瀬を渡ってからの、自分のお手元拝見。たすけあいの極地へ前進あるのみ。

一人ボッチでない

人間は、天涯孤独の身であっても、絶対一人ボッチではない。

いまを生きる自分の命には、父母の命とともに、生きる命がずーっと宿されているからだ。

父母の命もまた、祖父母の命とともにあった。

子や孫の幸せをのみ望むご先祖、いまの自分の命には、その思いのあることを忘れてはならないと思う。

一人ボッチだと思えば、命を軽視、自暴自棄になって自分を見捨てたり、他人の命さえも、粗末に扱うようになったりしがちである。

いま生きている自分は、父母の二人がいたから、二代目なら四人、遡ること十代なら、千人以上の先祖がいたことになる。五十代、百代遡れば天文学的数字、無限である。無限は人知を越えた世界。

親神様が陽気ぐらしさせたい一念で、人間をお創りくださった元の理のお話も心に治まる。

現代は、人の命が見えにくくなった時代――と言われる。

赤チャンは病院で生まれ、老人は病院や老人ホームで臨終を迎える。厳粛な生死を目で直視し、肌に触れて感じる機会が少なくなってきたからだろう。

昭和十七年、八十三歳で亡くなった祖母を、家族みんなで介抱し世話をした。祖母のツク息ハク息、息の引き取る瞬間を見つめながら、どうして大人になると成長が止まるのか？　どうしてこんなに悲しい別れをしなければならないのか？　文化や科学や医学を越えた未知の世界に思いを馳せ、悩んだ。

それほど生死は身近だった。

赤チャンが誕生することを『産まれる』という。産まれるの「れる」は、文法的には「受け身」だと、ものの本にあった。

つまり「産んで頂いた」、「産んで貰った」ということになり、自分の意思とまったく関係のない世界である。

自分の意思で、この世に出てきた人は一人もいない。

人間にとって、一番大事な生死が分からないとするなら、まさしく人は生きているのではなく、生かされている。

いまを生きる今日という日が、昨日・一作日の、積み重ねのうえに成り立ち、明日という日をつくる今日であるように、いまを生かされている命には、代々の親を通して、親神様の思召のうえに成り立ち、明日という未来をつくりだす命なのだ。

人間は親神様の子だから、一列はみな兄弟姉妹。言葉・国・肌の色違っても他人というてさらにない。親を信じ先祖を敬い親神様を尊ぶ生活からは、一人ボッチという寂しい心は、絶対に生まれてこない。

幸せ火種

老いの繰り言

私は、大正十五年に生まれた。男だ。

別に、男に生まれようとか、大正十五年に現れようとか思って、生まれてきたのではない。

父も母も、私を男につくり上げようと、考え工夫して生んだようでもない。物心つくと男だった。すでに両親も生年月日も決まっていた。

私は、そのような男だ。

私の人生は出発点からして、私の知恵や計らいを越えた力。私の知性や理性の及ばない働きによって始まっている。

私は、親戚の伯父さんが私の父だと思い、「お父さん」と呼んでいた。

ある日、伯父さんの子供、つまり従兄弟とケンカをすると、従兄弟が「オレのお父さんにお父さんって言うな。おまえのお父さんとちがうンや」と怒鳴られ、ビックリ。母に尋ねると、その通り。ギャフンとまいった。ショックだった。

その夜、神棚の前に、私を座らせて母は、離婚したことを話し、父のいない子の心構えについて語った。

「お父さんを持てない徳のウスイおまえや。お父さん持つ徳のある子と、同じことしてたらアカン。鉛筆の一本、紙の一枚倹約して、始末した分、神サンにお供えして、神サンから目に見えん徳貰え」

「徳もらうより、お父さんあるほうがエエー」

と言いかけたが、母の涙顔を目にしては、心ならずも頷いた。

ここに、一匹のイワシと一万円札のお金がある。猫は一万円札には目もくれず、イワシを咥(くわ)える。人間サマは迷わずに一万円札。人間サマにはお金の大事さ尊さが分かっているからだ。

その大事で大切なお金で、人生で一番大事な健康・長寿・運命など買えないとは、なんと皮肉に出来ていることか。

人生の出発点でさえ、自分の知恵では分からない浅はかな知恵で、上手に世渡りし、幸せになろうとしても、必ず行き詰まる。策士策におぼれるから。

地位や名誉の力で世渡りすれば、必ず身を滅ぼす。争いが起きるからだ。

お金で幸せになろうとすると、必ず失敗する。

お金には、欲にきりない泥水という不思議な魔力があるからだ。

「形のある物は、失うたり盗られたりしますので、目に見えん徳頂きとうございます」

とお願いした信仰者がいた。

立教百八十三年、令和二年。夢ノ架橋分教会長は三度目の会長。私九十四歳・妻記世子八十六歳。子六人・孫十四人・曾孫十一人。十八歳の曾孫おさづけの理拝戴。

赤の他人

親というものは、子供が何人いてもみな可愛いもの。どの子もこの子も、みな立派に育って欲しい思いで一杯。

イチ足すイチが出来ない子、障害者の子が可愛いのだ。出来の良い子より出来の悪い子が気になるのだ、親は。

長男は跡取りで老後の世話をしてくれるから可愛いとか、次男は外へ出ていくから可愛くないとか、打算的な差別感覚は毛頭持っていない。それが親。

子供は自分中心に物事を考え、自分中心の幸福を求めがちだが、親はすべて子供中心に考える。親と子の違いである。

小さい時、仲のよかった兄弟姉妹が成長するにつれて、利害関係からか、性格の不一致からか、分かって分からない理由で、仲違いしていがみあう。

よくある話だが、子供中心の親にとっては、これほど悲しくて情けないことはない。

「兄弟は他人の始まり」ほど、親の心を傷付ける言葉はない。

私には脳性小児マヒ障害者の弟がいた。

私は母と意見が合わず、よく口ゲンカをした。

母は二十五歳で離婚。か細い女手一つで、障害者の弟と「いがみの権太」である兄の私二人を、育ててくれたシングルマザーなのに、言い争いばかりしていて、優しい言葉の一つもかけてやらない私は、人一倍の親不孝者だと自認していた。

しかし、障害者の弟は不憫(ふびん)で、親身になって世話をし、なにくれとなく面倒を見て、いじめる奴は徹底的にやっつけ。お陰でケンカは強くなったが、ある時、知人と話ししている母が、弟思いの兄の私が、この上ない親孝行モノだと、自慢しているのを耳にした。

母にとっては、自分に優しくしてくれるより、弟を助ける姿を目にするほうが、よほどうれしかったようだ。

兄弟姉妹仲のよいのがなによりの親孝行。兄弟姉妹仲悪くしての親孝行はありえないのだ。

知人に、私と血が繋がっていない同姓の教友がいる。「ご親戚ですか?」尋ねられたその教友、「いやいや赤の他人です」と答えた。

私は烈火の如く激怒した。

「この世の人間は神の子や」

「世界いちれつ皆兄弟姉妹、他人というはさらにない」

教祖のお言葉に反する発言。

ようぼく失格の返答。

この世には、「赤の他人」はいない。親神様の子だからみんな兄弟姉妹。一切差別はない。教祖ひながたを歩むお道信心の原点、出発点である。

マンマンチャンの兄ちゃん

天理教に入信するまえは、オルグ活動に精を出していたから、五月一日メーデーには、率先して参加したものだ。

聞け万国の労働者
轟きわたるメーデーの
示威者に起こる足どりと
未来を告ぐる鬨(とき)の声

先頭に立って大声で叫んだ。七十年経った今も、時々口から出てくるのだから詩もメロディーもよい歌だ。

三十歳のとき、大阪単独布教に出発する朝、見送りの恩師上本信夫先生をまえに、メーデーの替え歌を歌って、気勢を上げた。

聞け大阪の人達よ
轟きわたる布教師の
ようきぐらしの足どりと
未来を告ぐる神の声

上本先生は、うなずきながら手を叩いて聞いてくださった。そしておっしゃった。三つのはなむけ言葉を。

*キミは、オルグ活動をしていたからか、言葉が激しい。そしてキツイ。声は肥や。大阪では、お母さんが子供をあやす優しい温かい言葉を、会う人にかけるようにしてくれ。

*切り口上・捨て言葉を出すな。言葉一つが布教師の命や。布教師は話し医者。よいか、言い訳するな。人を咎めるな。腹を立てるな。

*言葉は親神様のものや。かしこねの命さまのおはたらきや。ウソの無い言葉を大阪布教で身につけてくれ。頼むゾー。

先生は懐から自筆の短冊を出しつつ、「これはキミに、いや布教に出てくれるからキミではない先生だ。ウエダ先生にプレゼント」その短冊には、

——教え子を敬語で呼べる身の果報——

一代で大教会になった東中央大教会長柏木庫治先生から、よく聞かされた。

「キミの恩師上本信夫先生は、なにを隠そう天理教一の先生なんだゾー」

「キミ、天理教一の先生に出会える？　お母さんの真っ当な信心のお陰だゾー」

村方布教に出歩く痩せた母、母の信心姿勢を知らない柏木先生のお言葉。

恩師の、布教師人間としてのはなむけ言葉のお陰で、布教地では「マンマンチャンの兄ちゃん、マンマンチャンの兄ちゃん」と親しく呼んで頂けるようになった。マンマンチャンとは、大阪弁の幼児言葉、神サンのことである。

人間としての心の修行から始まった大阪布教。

「師なきは外道」——良い師に出会ってこそ、幸せ火種。

たかが水、されど水

水は、人が生命を維持するのに必要不可欠だから、日常用語にも多く利用されている。

水掛け論　湯水の如く　水商売　水に流す　水も漏らさぬ

水をえた魚のよう　水の低きに就く如し　水清ければ魚住まず

水は方円の器に従う　その他

昔、といっても昭和初期の話だが、私が生まれ住む雲梯(うなて)村を流れる曽我川には、綺麗な水が滔(とう)々と流れていた。川傍の洗濯場では、婦人達は集まり集い、群れなす小魚相手に洗濯をした。コイ・フナ・ウナギ・ナマズ。支流の細川にはドジョウ・シジミ・カニ・エビがいた。田んぼでとれたタニシは大切なタンパク源だった。

川水のたまり場は子供達の水泳場。井戸は共同使用で水を分け合った。トイレは汲み取り、新聞紙をちぎって手でもんで尻を拭いた。

そんな非文化生活が、テレビに水道、洗濯器に水洗トイレ、プールに自動車、冷蔵庫と、文化生活になって、川からジャコや魚が消え、代わりにビニール袋が泳ぐようになった。

不潔な井戸水は飲まず、消毒された水道水を飲み、使うようになったのに、わざわざコンビニで水を売り買うようになり、そして、地球温暖化の警告を人びとが叫ぶようになった。

近頃は、新型インフルエンザ、コロナウイルス感染症の流行とかで、マスクをしなかったら、空気を吸えなくなった。マスクスタイルを気にしなければならない時代到来である。

このまま、文化生活とか文明生活とかいう科学が進めば、恐らくコンビニで、ヒマラヤ山脈の清らかな清浄空気、富士山頂のさわやかきれいな空気を販売。人びとは、コンビニで買ったペットボトルを背負って歩くようになる筈だ。マスクスタイルを悩みながら。

水の話に戻るが、新生児は八〇%が水、成人で体重の六〇%が水。高齢者で五〇%が水と、水の本にあった。体内の水一〇%が切れると障害が起こり、二〇%で死亡とも書いてあった。

水は体温の調整、自然治癒力、自浄力を高め、難病克服に役立ち、健康回復にもかかせない。

火と水は、親神様のお姿。日々刻々のお働き。人の恩は返せても水の恩は返せない、と言われる。地球をふた回りする長さの人間の血管を通して、体内を循環する水のご守護ご恩。人は水の中で生まれ、水が働いて暮らしている。

水は大切、水は命。日々の信心の基本は、水のご恩は親神様のご恩であることから始まる。

一滴の水を粗末にしては、何が科学か文明か。たかが水、されど水。

ようぼくの根

道の命

入信して間もないころ、弟のように可愛がり信頼していた知人の、事業資金借り入れの保証人になった。それからずいぶん経って、それを忘れかけていたある日、知人が夜逃げした。

「保証人のおまえさんが返済せよ」と、コワーイ人たちがやって来た。

手が届きそうもない大金に、息が詰まりそうだった。

当時、髙橋分教会長だった母に耳入れすると、最初は、「ヘエー、ソラ大変やなー」と言っていた同情の雲行きが、あやしくなってきた。耳入れしたのが間違いのもとと気づいたが、後の祭り。

「夜逃げする人柄を見抜けなかったおまえがイカン。人生の修行代や。喜んで払わしてもらえ」

ビタ一文もくれず、説教だけくれた。

おぢばへ帰り、教祖殿で頭を下げ続けていると、

はや〳〵としやんしてみてせきこめよ

ねへほるもよふなんでしてでん　　（おふでさき　五号　64）

のお歌がふと口をついて出た。

ようぼくたる自分の根は、においがけ・おたすけ、おさづけの取り次ぎにあるのではないか。

大阪府大の後輩で直木賞作家、藤本義一さんは毎日、原稿用紙五枚に書き綴ってい

たという。ボツになった原稿用紙が石炭箱いっぱいになったとき、『つばくろの歌』で、ようやく世に出たという話を思い出した。いや、教祖が思い出させてくださった。

「藤本さんが原稿用紙五枚なら、ようぼくの私は、毎日、おさづけの取り次ぎ五人だ」と心定めが出来た。

系統問わず、宗派は関係なく、もちろん病院の面会時間ナンテ問題でなく、意気と熱でおさづけの取り次ぎに廻った。

気がふれたようでなかったら、一日五名の取り次ぎは出来ない。

三百人を超えたとき、まったく利用価値のない知人の残した泥田に国道がつくことになり、思いもよらぬ高値で三分の二が売れた。

借り入れ金を返し、コワーイ人達も喜んでくれた。

残りの三分の一は新設教会の用地となった。

名称は雲竜(うんりょう)分教会。

においがけ・おたすけは道の命、ようぼくの根である。

弟子にしてください

松葉杖を片時も離せない身体障害者の弟が、埼玉県幸手で単独布教して、ようやく材木会社倉庫の一室をお与えいただいた。講社祭を勤めていると、他宗教の人が二人、上がり込んで来た。

「天理の神サン、そんなに有り難いのなら、まずアンタの足、治してもらえ」

そう居丈高に言うのを、弟は黙って聞いていた。返答できぬとみるや、彼らは勝ち誇ったように「また来るからナ」と捨てゼリフを残して帰って行ったという。

「兄の私が彼らの相手になってやろう」と、私は弟の講社祭に行くことにした。だが、月毎に彼らの人数が増えた。

半年ほどで六人になった。狭い部屋で顔を突き合わせての討論は、多勢に無勢、万策尽き果て、七カ月目には「天理教教典第三章 元の理」を丸暗記、息もつかずに朗誦した。天理用語オンパレードには、さすがに彼らもいささかたじろいだ。

翌月行くと、一番弟を責め立てていた人が、弟の小さな講社のお社の前で手を合わせている。さては先月の朗誦、と思って話を聞き、ビックリした。

彼らの宗教団体で、東武鉄道幸手駅の便所掃除をしようということになり、その前日駅長に会いに行った。すると、

「もう半年ほど前から掃除してくれる人がいるから結構です」

と断わられたという。どんな人か見てやろうと今朝、行ってみると、暗い中、不自由な足をひきずってトイレ掃除をされているここの先生を見つけました。

先生の背中から後光が差していました。その場で「弟子にしてください」と松葉杖に縋りました。

「母から信者を持つことを止められています。弟子なんてとんでもない、と言われました。兄さんから先生に頼んでください」

弟が、奈良県橿原を後に埼玉県幸手へ単独布教に出発する早朝だった。

「いま母さんは、おまえに何もやるものがない。せめて、これから話すことを土産として持って行ってほしい。松下幸之助サンが、長屋で電気ソケットつくっておいでの時、どうすれば値段が安く長持ちするか、それればかり考えてつくっていたら、いつの間にか日本の松下、世界のナショナルにならせて貰ったと話されたことがある。おまえのその不自由な体、どうすれば健常者より喜びを深めることができるか、どうして教祖のおひながたを通ろうか。それだけ考えていたらよいのや。母さんの頼みや。教会になろうとか、信者さんつくろうなどと思ってはなりませぬぞ」

小さなお社を背負い、松葉杖に縋った弟に母は、さらに金切り声を張り上げた。

「よいか、杖に縋っても人に縋るなー」

「弟子に」との頼みを断わる弟、断わられても頼みこむ人。その姿を目の当たりにして、私は茫然自失した。

相手論破の教理勉強に対して、黙々と実践したひのきしん。教理を説くことができても、人の心を動かし得なかったら、そんな空しいことはない。本当に分かるとは、人の心が動くということである。教育と宗教の違いを思い知った。

持とう、拝まれる背

あるとき、弟は中風で寝たきりの老婦人のおたすけにかかった。

毎日おさづけの取り次ぎに通い、断食し、頭から水をかぶり、火の玉のように燃えていた。

だが、勢いに反比例するように病状は悪化した。

私は弟が不憫で、おたすけを応援してやろうと老婦人の家へ向かった。

百メートルほど手前まで行ったとき、弟が出てきた。

門口で深々と頭を下げ、立ち去る弟。すり減った松葉杖にすがる肩が前後左右に大きく揺れて、痛々しい。

自転車に松葉杖をくくりつけ、足を手で持ち上げ、またがった。

と、その時だった。

老婦人が、門口まで寝間着のまま這って出てきた。そして、不自由な両手を必死にすり合わせて、立ち去る弟の後ろ姿を寝ながら拝み始めた。

私の体内に電流が駆け抜けた。目頭が熱くなってきた。

信心の尊さと感激に、私は立ちすくんだ。

母はよく、弟に言い聞かせていた。

「神サンなんぼ拝んでも、神サンは喜ばん。人が後ろから拝んでくれる、そんな背中を持つ人になったら喜んでクレヤハル。親神様からお借りしているこの体、その背に手を合わせてもらえる人になったら、カラダを貸してよかったと、親神様が喜んでクレヤハル」

その夜、薄暗い電灯の下で弟が話した。

「兄さん、このごろボクが幸手駅のホームに立つと、駅員さんが『先生、どうぞ』と言って、椅子を持って来てクレヤハルネン。先生とまで言っていただいて、ここ埼玉の地で、ボクはホンマに大事にしてもらっている。もったいないコッチャー。人間は万能の親神様の子供ヤロー。親神様の子供やから宝石ならダイヤモンドや。でも、せっかくのダイヤも磨かな光らん。苦しい、つらい、難しいはダイヤを磨くみがき砂や。磨けばダイヤは光り、メッキならはげる。ボクは小児マヒというみがき砂を与えてもらって、ボクほど幸せ者はいない。ボクは、道を歩くのでも、達者な人の二倍三倍の汗をかく。これは、達者な人の二倍三倍の喜びを神様が与えてくださるということや。ボクは奈良のほうを向いて、生んでくれたお母さんと、小児マヒの身上を残してくださった親神様にお礼を申し上げているネン」

まもなく、中和大教会長植田平一先生から母に話があった。

「信者さんつくったらあかん。教会もつくるな言うてるそうやが、ええ名前考えたぜ。関八州分教会という名や、勇ましいやろ。なあ、教会のお許しもらい」

有り難い親心。何の異論がございましょう。

婦人の平癒とともに、新教会が誕生した。

いがみの権太

中学校を卒業すると、村一番の財産家・顔役・豪邸へ年始にやらされた。村人達は「旦那ハン」と呼び、時代がかった平身低頭の年始挨拶。アホウらしいので、旦那ハンを止め、名字を言ってピョコンと頭を下げての虚礼廃止の簡単年始。

機嫌を損ねたのか旦那ハン、早速母に、

「アンタの息子、いがみの権太ヤデー、アンタ苦労するなー」

村人にも入れ知恵、いがみの権太が定着した。

いがみの権太三十歳のとき、修養科へ。担任の先生に入学挨拶。

「どちらも教会長でありながら、ケンカしている上級教会の会長。数年前、ヨシオ君修養科へいかんかとすすめたので、言ってやった。『オレは修養科行かんでも仲が良い。ケンカもシテヘン。会長サン、修養科の上の別科を出て、ケンカや。人にすすめんと、アンタこそ修養科へ行きナハレー』言ってヤッタラ、何も言わずにコソコソと帰った。

が、会長でありながらどうしてケンカ？　そこらへんの研究に修養科へ来たんです」

いがみの権太、得意満面堂々の正論挨拶。

聞き終えた禿げ頭、好人物の担任先生。

「ホウー、研究ニネー。研究もよいのだが……。修養科はネー、その名の通り、修養するところで、研究科とは言わないのだがネー」

眼鏡越しの慈愛に満ちた眼差し、温顔。眼鏡をヒョイと押し上げての口調には敵意がない。

この先生は話を聞く、聞ける。反論の言い方、仕方がよい。頭の回転もよさそう。そこらへんの、昔苦労したご先祖の後継ぐ嬢(いと)はんボンボン会長とちょっと違う。苦労人だ。

十代後半はケンカ三段、二十代はオルグ活動闘争、裏路地で鍛え上げたカンが働いた。

「イヤー、本当に、ウエダ君の上級の会長はバカだネー」

「先生もそう思うでしょう」

「ところが、バカ会長の、まだ、その上のバカがいるから困ったものだ」

「へー、まだその上のバカがいる？　どこに？」

「ここにだ。私の目の前にいるキミだ」

「バカ会長より五十年前か五十年後に生まれてくれれば、バカ会長に腹を立てないですむものを、バカ会長に会長サン会長サンと言わねばならない時に生まれて来て、キミはバカのバカだよ。イヤ、キミがバカというより、キミの運命がバカなんだ。そのバカ運命を切り替えるのが、三カ月の修養科」

受け方・取り方・悟り方に目からウロコ。

いがみの権太、お賽銭で生きさせた恩師、京城大教会の上本信夫先生だった。

裏街道アチコチ話

川上へ動く石

右腕を事故で無くし、人びとから社長と呼ばれている男性が、初対面の私に、

「いかなる前生の悪因縁か？」

と身の不幸、不自由を嘆いた。

私は、脳性小児マヒで松葉杖を離せない歩行困難の弟が天理教に入信、未知の遠隔地で単独布教して、教会を設立した顛末（てんまつ）を話した。そして、大水が流れた大和川上流

の曽我川で、小石は流されても、川上へと動く大石があったことを話した。

「身を嘆くのは節の流れに流される小石ではなかろうか。どうか、大石になって、弟のように節を乗り越えてください」

男性は、人目をはばからず嗚咽、感極まってその場で天理教入信を宣言した。

別席を勧めると、一・二・三・四と出世するから、一月二十三日朝四時出発だと自分で決め、別席を運んだ。

満席になったが、両手で取り次ぐおさづけの理は拝戴できない。

その年は国際障害者年。障害者差別はただでおかないと息巻く。

大教会長さんも私も男性の心静めに心労し、なんとか、たんのうの入り口へ近づいて頂くことができた。

頭の回転は鋭く、洞察力は豊かで弁立つ男性、数年間で五十余人別席を運ばせ、ようぼくにし、自分も修養科を終え集談所開設。

私は高尚佳分教会の筆頭役員に任命した。

おさづけの取り次ぎをしない、できないようぼくが誕生したのだ。

筆頭役員は、宅見組の客人でもあった。

客人とは、ウラ社会の事初め会合とかにお金を出し、顔出しするスポンサー。

宅見組の宅見勝組長は、当時三万六千人といわれた巨大組織山口組の若頭ナンバー2。最高幹部で金庫番、いわば山口組の大蔵大臣。

同じ頃、名の通った精薄施設が不渡り手形を出した。

早速金庫番の宅見組の若い衆が取り立てに行ったが、施設長は高齢で難聴。耳には大きな補聴器。肩を揺すり怒鳴り脅すも効き目なし。若い衆が親分に耳入れ進言した。

「取り立ては無理、不渡りネタに施設乗っ取り組で運営、組のツナギに……」

その頃、私は教祖百年祭で髙橋分教会長を辞任し、天理市福住町で創設した特別養護老人ホームやすらぎ園や大和高田市のよのもと保育園から手を引き、すべての役職を辞め、真柱様のお言葉通り、白紙に戻っていた。

そして翌年の立教百五十年には、零から布教して、天理市柳本町の四顧景勝の地で、ペンション風の髙尚佳分教会を新設、韓国でインチョン布教所、台湾高雄で髙尚佳高雄布教所設置と、東奔西走していた。

面々の楊貴妃

客人・筆頭役員は、会長の私の東奔西走ぶりにひとしお感激。四方八方に宣伝、触れ廻る。

「ウチの会長、男のなかの男ヤー。オレの親友どころかホンマの心友ヤー、信仰者ヤー」

あるチンピラが組で不都合をしでかし、小指を詰める羽目になり、客人・筆頭役員に助けを求めて来た。

「指の一本や二本、どういうことないワイ。オレは五本ないワイ。それを天理教のウエダヨシオ会長にたすけて貰うタンヤ。おまえもビクビクせんと会長の話聞いて大石になれ。アホンダラー」

私はチンピラの組長と話し合ってそのチンピラを預かり、修養科へ入れ、組から足を洗わしたので、客人・筆頭役員の「心友株」がますます上昇。

妻や愛人を中国の楊貴妃のような美人だと思い込むことを「面々の楊貴妃」と言うが、つまり惚れた目にはアバタもエクボの会長ベタ褒め。高級車ベンツを左手の片手運転で乗り回す客人・筆頭役員。

宅見勝組長にも耳入れしたものだから、その大和のカイチョウハン（会長さん）とやらに施設運営をと、私に白羽の矢が立った。

施設運営はお手のもの、これもおたすけの一つ、これ幸いと快諾した。

客人・筆頭役員の案内で、大阪ナンバ千日前の宅見組本部へ行った。

人相よからぬ若い衆の案内で、広い応接室のソファーに座ると、子分数人引き連れた親分のお出まし。

「ヤー社長、ご苦労ハン。オー、大和のカイチャハンも」

小柄で柔和な笑顔。高級で紺色の背広が決まって、暴力団組長には見えない。

先手必勝、先に口を切った。

「親分、この部屋の周りに掛かっている沢山の赤字名札は、病気かなにかでお休みの人ですか？」

病気ならおたすけを、と言える。

「赤は別荘行きヤー」

「へー、こんなに大勢、入れる別荘、親分お持ちでー」

「アホな、素人ハンにはかなわんナー、ムショムショ、刑務所行きヤー」

おたすけの出鼻がくじかれた。

「カイチャハン、話は聞いてくれてるヤロ。ワシはケンカは強いが、施設とかはナアー。ひとつ頼むワー」

「実は親分、今日はそのお話、お断わりにー」

「ナニー、ワシの頼み聞けんと言うのカイナー」

ギョロッと睨んだ目は、否応言わさぬまさに裏社会の目。

サア、一分間スピーチ

「私は天理教の会長です。人サマたすけるのが仕事です。気の毒な精薄者のカスリをとる仕事のお手伝いはできません。引き受けていながら、いま急に心変わりしたのです。すみません、申し訳ありません。親分ー、お許しください」

私は、パッとソファーを離れ、土下座した。

「会長ー、どういうコッチャー、話がちがうガナー」

客人・筆頭役員の不満不信の大声が響く。

つい先ほど、「アカンデー」と教祖か母らしい声が耳に響いたのだ。コワイ顔した母の声だった。変心、断わろうと決意した。罵倒されようと信用なくそうと、断じて道をはずしてはならぬ。

世上の道、胸の道。念じた、神に縋った。一瞬の心変わり。

「大和のカイチャハン、もう止め、座ってンカー」

親分の声、私は立ち上がった。

「コラッー、マツとクマ、オメエラ、オレにナンチュウこと言うネ。アホな子分持つと親分までアホになるワイ。社長、しょうもないこと頼んですまなんだナー。大和のカイチャハンも」

ドスの効いた巻き舌、ヤクザ声を響かせて立ち去る親分。

と、ドアの前で急に踵(きびす)を返し戻って来ると、いきなり私の前に突っ立った。

「大和のカイチャハン、オレはナー、今日あって明日ない命ヤー。もう一度、胸にグサッとくる話シテンカ」

真剣な頼み、胸が高鳴った。

有り難い一分間スピーチの出番。

親分の顔を凝視、口を開いた。

「親分、私の一分間スピーチ、お聞きください。

親分は極道でしょう。極道とは道を極めると書きます。道を極めるとは、取り仕切っておられるナンバ界隈を歩かれたとき、皆さんが、アア、宅見の親分だと、手を叩き喜んでお迎えになる、それが道を極めた極道の親分だと思います。か弱い女のピンハネ、気の毒な障害者のカスリトリ、極道ではありません。

親分、私は天理教の会長です。天理の道を極めます。天理教の極道になりたいのです。イヤ、なります。親分も極道、私も極道。よろしくお願いいたします」

不満不信の念をもっていた客人・筆頭役員、大声で叫んだ。

「オオー、さすがヤー」

見つめる金庫番

瞬きせずに私を見つめる親分・金庫番。その目は、山口組若頭ナンバー2の目ではなかった。金庫番は、小学一年生で父を亡くした。極貧のなか、中学二年生で母も亡くなった。

「お母アは、オレを育てるために、命を縮めた」

苦労かけた母の面影を偲ぶ目だった。

「コラーマツ、大和のカイチャハンに名刺渡せ。カイチャハン、なんぞあったら言うテンカ。チカラになるときもアラーナー。今日はオオキニご苦労ハン。ナンヤラ、胸スートしたデエー」

屈強なマツとクマの先導で、心斎橋から近鉄難波駅へ。人びとは避ける。客人・筆頭役員も私も、小さい肩を同じように揺すって歩く。グリコの大看板が笑っていた。

それから毎年、事始めの案内状と、分厚い派手な年賀状が送られてくるようになり、客人・筆頭役員からの誘いもあったが、一度も顔を出さなかった。

何年か経ったとき、ある教区の主事を務める友人から、相談があった。

その教区が、会館で「陽気ぐらし講座」を開催しようとすると、その土地を取り仕切って居るという組長から、「挨拶なしで」とイチャモンをつけられたので、なにがしの挨拶料を持参すると、「マア、一応は」と、含みのある受け取り方。後難を恐れて、善後策の相談である。

私はマツに貰った名刺で、親分に電話した。

「ああ、その組はウチの息のかかった組内ヤ。『天理サンには手を出すな』言うておく、心配せんでエエ」

滞りなく「陽気ぐらし講座」は終わった。

しばらくすると、人気歌手Sのディナーショーの案内状が来た。

案内状は山口組紋入りの封筒に半紙。

人気歌手Sは、親分の姐さん（裏社会の言葉、愛人）の弟。

「カイチャハン頼みの件、解決の手打ち式。なにもカイチャハン無理に来んでエエ。一分間スピーチとやらの礼」

荒っぽい文字。不躾ながら、いまどき珍しい義理と人情をわきまえた渡世人親分。今日あって明日ない命と自認の親分。間もなく神戸オリエンタルホテルでヒットマンにやられ、六十一歳の命を捨てた。やがて弟の人気歌手Sも脳梗塞で後を追う。

ある夜、……私を見つめる金庫番に「親分、別席行きナハレ」と別席をすすめていた。「カイチャハン、オレ仏心ついたら、この道から足洗わんナランガナ」……なにをクヨクヨ川端柳、男は度胸、女は愛嬌ヤー。「素人の説教、玄人には通じンワイ」とアネサン呼ぶ親分の声。歌手Sの歌が聞こえる。……途端に目が覚めた。夢のにおいがけ。

ハラハラ、ドキドキ、ワクワク。楽しい夢ノ架橋分教会。夢見の夜。

ミンナ、感激求めている

信心は宗教学の学習研究ではない

高尚佳分教会長のとき、信者宅の講社祭で、その家の婦人にお願いをした。

「来月の高尚佳分教会の月次祭には、中和大教会から巡教がありますので、ぜひ万障繰り合わせてご参拝ください」

「イヤー会長さん、折角ですがお断わりします。いままで何回か大教会巡教でお誘いを受け、やらせてもらいましたが、一度も感激したことがありませんので、もう行きません」

びっくりした。普段はあまりハッキリとおっしゃらない婦人なのに、ナンの飾り気もない断わり方に目を見張った。

普通はそういう断わり方をしない。用事があるとかないとか、用件をデッチ上げ、本音と建て前を使い分けるものだ。「嘘と追従これ嫌い」と教えられているお互いでも。断わられてなんだか嬉しくなった。飾らない素朴な婦人の心が気持ちよい。

お道では、素直ということが強調される。

「素直は神の望み。素直は人も好けば神も好く」

もちろんここでの素直は、親神様の思召を素直に受け止め、素直に実行する神一条の筋金の通った素直さであるが、やはり世間一般でいう人として望ましい素朴さがあっての話であろう。

「感激がなかった」との婦人の声は、ミンナの切なる感激願望の声ではないか。巡教や講話について、改めて考え直す声なのだ。

宗教は阿片と断じるマルクスに心酔していた頃、いまの憩の家病院の東側駐車場あたりに、「天理教館」と呼ぶ千人ぐらい収容の大きな建物があった。

母は、嫌がる私に案内させて教館へ毎月ほど行った。

教館は、飲まず食わずの布教をしている講師達の講演で熱気に満ちていた。すすり泣く声・鳴り止まない拍手。無神論者でも魂が揺さぶられるような信心談義、教館を後にする母の目はいつも真っ赤だった。

いまお道は、泣く話、泣かせる話をしなくなった。泣き虫のすすめではない。心勇んでおつとめを勤め終えたあとの講話だ。ミンナ求めているもの、それは感激感動。

以前、宗教・文化専門紙『中外日報』で、こんな社説を目にしたことがある。

「今日ぐらい仏教が研究され、参考書の発行されている時代はない。大きな伽藍に書籍や仏教学者がいくらできても、それは信者の増加でもなければ世を救うなにものでもなく、むしろ堕落の材料である」

仏教だけの話なら、別にかまわないのだが……。

ミンナ、感激求めている

いかに合理的に、能率的に人を動かそうとしても無駄ではないだろうか。信心をただ教理として説いては人の心は動かない。信心は宗教学の学習研究ではない。日々の信心生活・信仰者の行いだけが、人の胸を打ち感激を呼び起こす。「言う通りにしなさい」ではない。「する通りにしなさい」だ。

手放す強さ

天保九年十月、神のやしろとなられてから教祖には、一日として安楽の日はなかった。世界一列の人間をたすけあげたいとの親神様の思召に応えなければならなかったからである。その手始めに、難渋な人をたすけるために、持てるものを次から次へと手放し施しされ、貧のドン底に落ちきられた。

常識を越えた「ほど越し」。教祖ひながたは離すことのひながたでもある。

教祖百年祭のとき、真柱様が、「白紙に戻ろう」と呼びかけてくださった。

私は、誰にも相談せず独断専行、直ぐ白紙に戻った。モノもカネもチイもメイヨも、かなぐり捨てた。もちろん教会長も手放した。

奈良教務支庁へ辞任手続きに参上すると、横山正男奈良教区長先生が、

「奈良県下には、錚々たる会長サン大勢いらっしゃるが、白紙に戻ったのは一番早いナアー。一等賞はエエ褒美頂くぜー。さすがお母さんの子ヤー。お母さん大事にしてヤー」

母へのメッセージまで添えて、目を丸くしながら、慌て者を賞賛してくださった。

その結果どうなったか。

日頃実行している自作の「信心十則」をコピーし、奈良や天理、三輪、桜井、初瀬で配布した。いま皆さんがやっておられるパンフレットを配布するだけの戸別訪問ではない。お坊さんの托鉢行にヒントを得た実行契約金一日三十円、一月一千円いただく、前代未聞のお叱りを受ける楽しい？　珍布教をした。

わずか一年半で、ファンが一千人にもなった。毎月百万円ずつ集まるようになった

のだ。

まるでウソのようなホンマの話である。

中和大教会長様のおすすめで、「どうしょうかこうしょうか」、いや「世界へ明日へこうしょうか」と、髙尚佳分教会が教祖百年祭の翌年、立教百五十年に呱々の声を上げた。新設教会設立、おぢばのお許しを頂戴したのだ。

東に竜王山、山の辺の道。南に景行天皇御陵。西に大和平野を一望に見下ろし、北に崇神天皇御陵。四顧景勝の地に。

口や筆に表すことができないほど、いまも身を守られている。令和二年七月、九十四歳の年齢に関係なく、九州は福岡で夢ノ架橋分教会まで設立させて頂き、三度目の会長就任のお許しまで頂戴した。神様が守ってくださっているのだ。

天理教に入信し、別席を運んだ。ようぼくになり、会長になり、役員にもなった。と、いくら喜んでいてもナンにもならない。肩書きを持つことは身の守りにならない。離すことに徹しきられた教祖ひながたの万分の一でも通っただけが、身の守りになるのだ。

入信以来、六十五年近くお賽銭で生きてきた。

お賽銭で生きてきて、幸せだったか？　と尋ねられると返答に困る。

幸せになろう、幸せになりたい……ナンテ考えもしなかったから。

しかし、手放すことに心掛ける、充実した信心生活だったことだけは、胸を張って言える。

人の心が動く信心

私たち夫婦は昭和二十八年、挙式した。

場所は落成間もない髙橋分教会の神殿。

クライマックスの三三九度の杯儀式となって、動転したのか女媒酌人、新婦に渡さなければならない杯を、ナント自分がすべて飲み干してしまった。驚いた男媒酌人、

「新婦に渡せ」と目と扇子で合図を送るが、冷静さを欠いた女媒酌人に通じるはずがない。とうとう新郎の私は、新婦と三三九度の杯を交わすことなく、女媒酌人と結杯して式は終わった。

あってはならない大失態に、式後、男媒酌人は血相を変えて彼女を詰問した。

式場はまるで水を打ったように沈痛な空気が漂いかけたそのとき、突然母が、

「間違いではありません。皆さんもご存じのように、私は二十五歳で離婚しました。親神様は、その離婚いんねんを忘れさせないために、わざと契りの杯を取りあげられたのです。新郎新婦に元一日を忘れさせない親神様の親心です。結構なことです」

叫びながら、泣き声で謝る女媒酌人の肩を抱きかかえ、

「なにも謝ることオマヘン。私はホンマニ喜んでマンネ。ご苦労サンでした」

男媒酌人は、彼女をねぎらう母の顔をポカンと口を開けて見ていた。

異様な空気が一気に和み、一段落して記念写真を撮ることになった。

場所は、神殿隣の古ぼけた我が家。天井には綿類の入った紙袋が吊り棚にズラリ並

んでいる。その頃の写真屋さんのフラッシュはマグネシウム。強烈な焔の閃光がきらめいたとたん、天井の紙袋に引火して綿類が燃えだした。燃えやすい紙に綿、火の手は勢いを増す。写真どころではない。総出の消火活動。なにさま天井に向かって水をかけるのだから居間も式服も水浸し、記念写真は完全にオジャンとなった。

一同、写真屋さんの不注意を責め立てる。不吉、険悪、重苦しい空気となった。と、母の甲高い声が響き渡った。

「皆さんお静かに。決して写真屋さんの不始末ではありません。親神様が離婚いんねんを燃やして灰にしてくださったのです。ホンマニ目出度いことです。ありがたいことです」

陽気にハシャギ、自作の振り付け「芸者ワルツ」を踊り出した母に、写真屋さんは手を合わせた。

私は、記念写真不履行と式服、居間の補償金など計算していたので、「写真屋さんの不注意でない」と言う母を、苦々しい思いで見つめていたが、母に手を合わす写真屋さんの姿を目の当たりにして、自分の考えがなにか下種（げす）の勘繰りのように思えたものだった。

やがて、男媒酌人は自宅に親神様をお祀りし、女媒酌人は修養科志願、写真屋さんは別席を運んだ。

私は母から、

「おやさん（教祖）はエライお方や」

と耳にタコができるほど聞かされたが、天理教入信をすすめられたことは金輪際ない。子は親の背を見て育つ。

教理を説かず教えず、身で人の心を動かした母の信心から、親神様は契り盃・記念写真なしの私たち夫婦に、おぢば発行の『グラフ天理』に結婚六十二年目の記念写真を大きく掲載してくださった。ご覧になった多くの方々から、祝福と感嘆の声を頂いたことは言うまでもない。

いま、子供六人・孫十四人・曾孫十一人・年上曾孫十八歳、おさづけの理拝戴。亡き母の、自慢顔が見たい、自慢話を聞きたい。

心震える感動

六十年ほど前だった。上級の浮孔分教会三代会長高倉勝造先生との会話。

「ヨシオさん、お道で、一番徳のある姿はナー。親・子・孫三代の夫婦が揃うて、元気で、お立ち（立ってのおてふり）できることヤー」

「へー、ソンナラ、俺、ナリマッサー」

「簡単に言うな。ワシの知る限り、イヤハラヘンノヤー」

「サヨカ、マアー見てナハレー」

「なに言うテンネー。ヨシオさん、その高慢がアカン」

「アカン事オマヘン。高慢にはヘッコミ高慢とデシャバリ高慢アリマッセー。ヘッコミ高慢は助かりにくいが、デシャバリ高慢は助かりやすいんだー」
「アア言えばコウ言う。ホンマニウルサイ男ヤナー、いがみの権太ヤー、ヨシオクンはー」
「デシャバリ高慢・いがみの権太・ウルサイ男」――上級の会長様から、名誉なお墨付き? を頂いた大言壮語が、実現したのだ。

平成二十五年十一月十六日の高尚佳分教会月次祭でのこと。

平成二十五年は、私達夫婦結婚六十周年の年。そのうえに、親・子・孫三夫婦揃い元気で、みかぐらうた後半のお手振りをつとめさせて頂けるとは、身に余るご守護、お礼の申し上げようがない。

おつとめの座りづとめ、みかぐらうた前半・後半のなかで、私は最後の「だいくのにんもそろひきた」が好きだ。――にんも揃うた。世界たすけ、さあ、これからや。教祖の世界たすけのお気持ちが胸を打ち、いやが上にもモチベーション（やる気）が上がる、勇めるのだ。

ミンナ、感激求めている

物心ついたとき、我が家は貧しかった。

井戸なし、風呂なし、貰い水に貰い風呂。家は狭くて小さい借家。母は二十五歳離婚のシングルマザーでゼンソク持ち。たった一人の弟は脳性小児マヒ、片時も松葉杖を離せない身体障害者。ドン詰まりの一家だった。

「オレの家、ナンデこんなに狭くて小さいノヤー」

と母を責めた。

「家が狭くて小さくても、心は広く大きく持っていたらエエノヤー」

母の戒めが効き過ぎたのか、上級会長さんからお墨付きを頂く豪語男になった。

母は、弟の身上から、亡き父（私の祖父）のひと言「神サン、忘れたら怖いぞー」を思い出して信心するようになったが、親戚知人嘲笑、神の存在否定マルクス信奉者の長男私の猛反対のなか、会長になり、ただ黙々といんねん切りの道を歩んだ。常識はずれに猛反対した私が、いつの間にかお道一筋で歩むようになった事実が、母信心の真骨頂を裏付けている。

その日は、秋の青空は晴れ晴れと澄み渡り、陽は燦々と降り注いでいた。

今村俊三本部員先生が「ギネスブックもんヤー」とお祝いに駆けつけてくださった。

海を隔てたインチョンから。博多・長崎・泉佐野。大阪・和歌山。加古川・埼玉からも。地元の方々合わせて約百人。大和国中見下ろして、三夫婦揃うて「だいくのにんもそろひきた」の立ちづとめ。

心震える感動にただただただ、涙腺緩むばかり。

こけむす信心

六十数年まえ、教祖七十年祭の年の一月一日、元旦に修養科に入ろうと中和詰所へ行った。

「お節会というご本部の行事が終わってから修養科は始まる。お正月はお休み」

説明する主任らしい人に噛みついた。

「それはアンタとこの都合ヤー。オレにはオレの都合があって来たンヤ。今日から入る」

ゴリ押し屁理屈はオルグ活動で鍛えている。

人の良さそうな吃音先生、詰まって捨て言葉。

「カッ、カッテニシタラエエガナー。オ、オレは知らんデー」

「サヨカ、勝手にしマッセー」

そのまま中和詰所に住み込んだ。

七十年祭の時旬に修養科行きとは、随分聞こえは良いが、とんでもない。不純も不純、不遜も不遜。「天理教を潰してやろうー」と、身のほど知らぬ二十九歳若輩者。思い上がった根性で、意気揚々とやってきたら、たまたま七十年祭だったというだけの話。

ミンナ、感激求めている

担任の一期講師、京城大教会の上本信夫先生に出会って、たまげた。

京城大教会青年づとめをしていた信夫青年。朝寝朝酒、神饌用のお神酒を腕力で信夫青年に盗ませる同僚青年と一緒にいるのがイヤになり、もう青年づとめはやめると大教会長に言った。

当時の大熊忠次郎大教会長は、

「すまないネー信夫君、理のある大教会に変な青年を置いて、私の不徳のせいだ。私はこれから心入れ替え、修養しなおして徳づくりに励むから、どうか信夫君、それまで辛抱してくれないか」

両手をつき、涙とともに謝り頼む忠次郎大教会長。

信夫青年はこのとき、大教会長に命を預けた。

人を責め、人の欠点追求にうつつを抜かしてきたオルグ活動の我が身には、まさに世界の違う青天へきれき話。人を責めず我が身を責める世界が、小説ではない現実にある。震える感動を覚えた。

修養科三カ月間で、男の命の捨て所は道一条、心が決まった。見事、ミイラ取りがミイラに変身した。

「信の中に食あり食の中に信なし」

自動車屋廃業、高校教諭その他メシのタネになる免許類すべて焼き捨て、身の飾りモノかなぐり捨てた。マルキシズムにもオサラバ。大教会青年づとめの伏せ込みを半年したが、イヤになり単独布教に出た。

「伏せ込み」から叱られるが、衣食住完備、制度化組織化のなかの栄達に神を見出すような温室生活は性に合わない。

晴天もあれば風雨もある。桜花爛漫の春あれば身も凍る冬もある。誰しも晴天を望み春を待つが、雨風の日があって晴天が楽しく、豪雪に耐えて春が待ち遠しい。

闇があり光がある。闇から出て来た人が光の本当の有り難さを知る。

不幸があり幸福がある。ドン底の不幸を味わった人こそ、本当の幸福の有り難さを知る。

信心の道には成功も出世もない。あるのは一列平等みな神の子。神との繋がりが強いか弱いかだけである。その強弱が真の信心喜悦の浅深（せんしん）なのだ。

ミンナ、感激求めている

不思議でならないのは、疎にして野の道を好み歩む私のような者に、どうして神は、高橋分教会・高尚佳分教会・夢ノ架橋分教会と三度も、会長という大切な番頭役を任せたのだろうか？

ただ一つ言えることは、大阪や信州の単独布教で培ったもの、

「さざれいしのいわほとなりてこけむす信心」

この心意気だけを、神がお受け取りくださったからに違いない。

アジック、イゼプトヤ（まだ、これからや）

おろがんソジョンリ

韓国は、ソウル駅からコーリア鉄道の電車で南下すること約一時間半。小さな田舎町ソジョンリである。

上級の浮孔分教会五代会長高倉澄子さんが、布教所を開設している町。

韓国語を覚えたさに、市立ソウル大学に留学し、ソウルで下宿している私の孫が、オバチャンのケッタイな布教所参拝は絶対イヤだと嫌がり断わるのを、私は無理矢理引っ張り出して、布教所の月次祭に連れて行った。

「折角、天理大学国文学科を卒業しながら、畑違いの韓国語の勉強とは、ドウユウコッチャ」

「オジイチャンなんかに、韓国語負けラレヘンカラナー」

「オイオイ、そんなコドモッポイ発想ではアカン。もっと、崇高な目的を持てー」

「崇高って、ソラ、ナンヤー。ボクはただ、韓国に興味あるだけー」

「おまえ、おぢばの学校を出たようぼくやないか。韓国語覚えて、韓国の人に、においがけをー」

「そんなことー、ボクには関係ない」

「アホー、おまえのお母さん、チイチャナ教会を守って一生懸命にやってるやないか？　関係大ありや」

「お母さんはお母さん、ボクはボク」

おぢばの大学、それも国文学科を終えながら崇高すら知らず、においがけのカケラも持ち合わせていない我が孫。

縦の伝道の難しさを噛みしめながら、月次祭を終えた。

氷点下の寒風が吹きすさぶソジョンリ駅プラットフォームに立つと、

「アーアー、寒い寒い。おつとめナンカに来るよりも、勉強していたほうがよかった」

「なにをブツブツ言うとんのや。男は過ぎ去ったこと、メソメソ言うな」

叱っていると電車が来た。

次駅で、強面の人相よからぬ屈強な青年が乗車してきた。と、座席に座っている孫の前に立つやいなや、力持ちを誇示するかのように、ジュースの空き缶を片手で握りつぶし、いきなり孫の片腕をつかみ、そのまま孫をプラットフォームへ引きずり出した。

まだ充分に韓国語を話せない孫。されるがままの無抵抗。顔面は蒼白。びっくりして後を追った。

大声でわめきながら拳を握りしめ、いまにも孫に殴りかかろうとする男。とっさに中に割って入り、怒鳴った。

「イ、チョニョン、ムオヘッソ、イ、ナムジャヌンソンジャ、ナガ、ハラボジャ、クマンヤ（この若者、何をしたのだ。この男は孫。オレはオジイさんだ。やめんか）」

「アー、ハラボジョエ、シッレヘッスムニダ（アッ、おじいさんですか、失礼しました）」


青年はとつぜん変身し、お詫びのしるしだとジュースを買ってきて平身低頭、去って行った。まったくの一瞬、突風が吹き抜けたような出来事だった。

「オジイチャンのお陰や。オジイチャン居なかったら、ボク、殴られている」

「違う。オジイチャンのお陰やない。神様のお陰や。下宿の部屋に、神様お祀りセー」

「ウン、お祀りする」

身上・事情は神の手引き、道の花。

ハプニングは、文句タレの孫の心を手引きし、道の花を咲かせてくれた。

アジック、イゼプトヤ（まだ、これからや）

イヤイヤながらも、田舎町ソジョンリの月次祭に足を運んだお徳だろう。

そして何よりも、ひと言の韓国語もできないのに、単身女性の身で、田舎町で韓国においがけ・おたすけを目指す髙倉澄子さんの真実が、孫に、神祀りという実を結ばせたに違いない。

乱暴青年は神様の使者だった。

おろがんソジョンリ。

祖父と孫、車中からソジョンリ布教所を拝ん（オロガン）だ。

＊（註）「おろがん」は、平安時代和歌などに用いられた拝む（オロガム）の洗練された言葉。

ストローコーヒー

ソウル大学に留学中の孫と連れだって、ソウル市内のターバン（喫茶店）に入った。

アガシ（女の子）が持って来たマンデリンコーヒーには、ストローがついている。

一八〇センチの孫がストローを口に吸い出す。大の男のチューチューはどうも頂けない。サマにならない。

「オイ、オイ。か細いストローで、大の男がチューチューするのは、止めておけー」

「ナニ言うてんノヤー。熱いから口がヤケドしないように、ストローが付いているンヤデー」

「男はナー。片手でカップをグッと握って、直接呑めー。チューチューは女の子の飲み方ヤー。男はナー、小道具使わんと呑めー。コーヒーの味が消えてしまうワイ」

「アノナー、オジイチャン、男おとこって、コーヒー飲むのに、男も女も関係ない」

「アホ、おまえ、今はやりの草食男子チュウノニ、なっているのと違うか？　男も女も一緒なら、チンチン切ってしまえ」

「オジイチャン、なにも韓国まで来て、そんなに興奮することないやろう」

ここは一番、男の生きざまを教え、男の信心の、なんたるかを説いておかねばならぬ。一席ぶつことにした。

「男はナアー。自分の幸せを求めるべきでないのだ。女房や子供達一家を幸せに、つまり社会や他の人を幸せにし、それを見て幸せを感じる。人の幸せを我が幸せとする。それが男の幸せジャー。その男がチューチューでどうする？　コーヒーが泣いてるゾー。女の子がチューチューしながら『幸せになりました』と言えば、拍手したくなるが、男が『ボク幸せになりました』ナンテ言うのを耳にすると、身の毛がよだつワイ。男は他の人をたすけて我が身たすかる。人様の幸せあっての幸せでなくてはならないノダ。

オジイチャンはナー、おまえがまだ生まれていない昭和三十一年、周囲の大反対を押し切って単独布教に出た。メシのタネになる高校教諭や自動車の免許類すべて焼き捨てて、ダー。

当時、大学出の初任給は二万円、無神論者でさえ二万円。神はあると神サンの味方する布教師が二万円の収入が無ければオカシイ、そんな神はいないとの信念で布教した。間違いなかった。モノ・カネ・ヒトに不自由せず、教会に住み込ませお世話した人百二十人、誕生した教会七カ所。それに保育園に特別養護老人ホーム設立ヤー。台湾、韓国おぢば帰り千人近い。高尚佳の教会、国のまほろば見下ろす景勝の地。

ドウジャー、神サンってスゴイヤロー。

みかぐら歌に、だいく・とうりょうギョウサン出てくるヤロー。

大工さんは他人の家建ててナンボや。自分の家建ててゼニになるか。

草木の生い茂った山の中へと勇往邁進（ゆうおうまいしん）して行って、他人サンに幸せの家建てて廻るンヤー。それが男、男の信念ジャー。ワカッタカー」

「自慢話、ボクにはエエけどナー。あまりヒトには言わんほうがエエでー、オジイチヤン」

冷静に孫がのたもうた。

振り上げた拳の落し所が見つからない。

強い苦みとコクのあるマンデリンコーヒーを一気に呑み干した。深く煎ったフレンチロースト、なんだかいやに焦げ臭い。

作家の井上靖さん、好きだ。

幸福は求めないほうがいい。

求めない眼に、求めない心に、求めない体に、求めない日々に、人間の幸福があるようだ。

入信以来、いまも男一匹、信心座右の銘。


アジック、イゼプトヤ（まだ、これからや）

セウォル号惨事に学ぶ

文在寅（ムンジェイン）大統領が率いる革新系与党の韓国。だが、今もなおパククンへ前大統領時代のトラウマがつきまとっている。

その韓国で七年まえ、大型旅客船セウォル号が、乗客五百人近くを乗せて、チンド沖で沈没。避難誘導の怠慢によって、修学旅行中の高校生ら死者三百人を越えるという大惨事があった。

真っ先に逃げた船長は、助かった。

私は、インチョンのプピョン駅前での追悼式に参列した。

日本でも、青函連絡船洞爺丸が沈没し、千百人余が亡くなる大変な海難事故があった。

ある信仰者が、その洞爺丸に乗船する予定でいたところ、見送りに来た友人が、もう一便早い船に乗れそうだと、船着き場まで送ってくれた。帰宅して、乗る予定だった洞爺丸が沈没、大惨事を知った。

奇蹟を耳にし、取材にやって来た新聞記者が、

「やはり信心深い人には、ご利益（りやく）ご守護があるのですネー」

と感心すると、

「私が死んで、大勢の人が助かったのなら、それはご利益ご守護でしょうが、私一人が助かって、大勢の人が亡くなられてはご利益ご守護であるはずがない」

自分の願い望みを叶えてもらうだけの、エゴイズム信心を喝破する返答に、記者は感服した。

洞爺丸には、キリスト教の宣教師さんも乗っていた。アメリカとカナダの方である。日本の若いお母さんが、救命胴衣が無くて困っているのを見て、自分の救命胴衣を差し上げて、亡くなられた。ご自身は泳げなかったと、後でご子息さんが語っている。

そんな宣教師さんがお二人もおられたのだ。

教祖三十一歳の時、近所の家で子供五人も亡くし、六人目の子も乳不足で育ちかねているのを見るに忍びず、親切にも引き取って世話しておられたところ、預かり子が病気になり、医者も助からんと匙(さじ)を投げた。教祖は八百万の神々に、

「預かり子をお助けください。その代わり娘二人の命を身代わりに差し出します。それでも不足なら、願満ちたその上は私の命をも差し上げます」

と祈願され、預かり子をおたすけなされた。

私達は「人をたすけましょう。人たすけしなさいヨ」と、口で簡単に言う。


アジック、イゼプトヤ（まだ、これからや）

だが、果たして自分の命まで差し出してまで、おたすけ出来るだろうか？

おたすけ美談に花咲かす人からは、叱られそうだが、我が身可愛い私には、自分の身を投げ打ってまで、人をたすけることは出来そうにない。

せめて私の出来るのは、親神様からお借りしている、この大事なそして可愛い私の体で、チョットだけ人様のお役に立ち、チョットだけ喜んで頂けることぐらいである。

ヨチヨチ歩きで危なっかしい幼子のような信仰者のチョットした助け合い、親神様は、満足なさらずとも、納得してくださるような気がしてならない。

「セウォル」とは、新月・世越だろう。

助かった船長は事故当時、部屋でゲームをしていたという。

イ・ヨンジェ船員は「頭のいい奴が生き残った」と言った。

なんだか早く、新月を拝みたくなった。

プピョン駅から四百メートル、トンアアパート十一階のプピョン布教所へ、私は帰りを急いだ。そして真剣に、お願いづとめをつとめた。いつのまにか理の娘ユウヨンスクが、後ろでともに頭を下げていた。

セウォル号から学ぶこと、今も私にはあまりにも多い。

アジック、イゼプトヤ（まだ、これからや）

迷回答に珍回答（その一）

韓国伝道庁で、天理教韓国教団教育院主催、韓国全教会長夫妻錬成会での、講演講師を頼まれた。

いかめしい名前の錬成会に恐れをなして、お断わりをした。

「―ウエダヨシオソンセンニム（植田與志夫先生様、九十歳）。お元気。演壇に立つだけでよいヨ」

甘い言葉で頼まれ、ご厚意をお引き受けした。

講演は三十分間韓国語で、六十分間は同時通訳を入れて日本語で、計九十分間。

夜は質疑応答の九十分間。

真剣で熱心な韓国会長夫妻の質問、身が引き締まりタジタジだったが、そこは、六十年の信心キャリアがモノを言って、なんとかお答えすることができた。

その迷回答に珍回答、なにとぞ、ご笑読ください。

質問一

熱心に信仰していても、不幸が続くヒトには、どう話せばよいか?

迷回答

長い信仰の道には、寒い日もあれば暖かい日もある。朝の来ない夜はなく、夜の来ない朝もない。幸せがやってこない不幸せはなく、不幸せがやってこない幸せもない。

寒い日は厚着、暑い日は薄着だ。なってくるのが天の理。天の理に添って明るく笑って、天理教を信仰することだ。それが教祖のひながたではないか。

「ミウオドハンセサン、チョウアドハンセサン、マウムタレミョウ、ウスミヨ、サリラ(怨んでも一生、喜んでも一生、心のままに、笑って生きよう)」

アジック、イゼプトヤ（まだ、これからや）

韓国人なら知っている、笑って生きよう蛮声張り上げ歌う。会場大合唱。チャ・イゼプトヤ（さあ、これからや）。親神様は目には目、歯には歯。罰を与える了見のせまーい神サンと違うぞー。助け上げたい一心だ。今の楽しみ先の苦しみ。今の苦しみ先の楽しみ。分かったか？「アラッター（分かったー）」会場から返答。

質問二

上級教会と部下教会は、理の親子と聞いているが、その不和はどうすればよいか？

迷回答

まず、天理教には、部下という言葉はないのヨー。

偉いヒトも偉くないヒトも、人間はみないちれつ兄弟姉妹だ。

不和の原因は、上級教会長が、赤チャンのオムツを取り替えて汚物をかけられても怒らないで取り替える母心はなく、高慢で威張る心の持ち主だから、アカンコスル（悪しき払うて）をヒトの悪しきを払いに行って、自分の悪しきを払わない欠陥人間。

欲と高慢大嫌いの教祖に、嫌われているヒトなのだ。

下の教会長は、上級の言うことをハイハイと鵜呑みに聞くことが素直な理の立て方だと、悟り違いをして、イエスマン、イエスウーマンの卑怯人間に成り下がっているのだ。

立教のとき、親神様は、みきを神のやしろにと突然申されたが、善兵衛さまは、ハイとお受けになって、理を立てられたのではなく、一家の都合が悪いと、断わっておられる。

親神様と三日三夜も問答され、ようやく親神様の理を立てておられるのだから、人間同士なら三年三月ぐらいは問答しなければならないだろう。

人間をお創りくださった親神様の前では、いちれつ兄弟姉妹みな平等。

上級も部下もなく、社長も会長もなく、すべて無効だ。差があるのは、ただ神様を信じる心の強弱だけ。

それが証拠に、おつとめは身の飾り一切付けず。おさづけの取り次ぎは、役職・名誉・地位いっさい言上なし。

ヒトはヒトをたすけられない。ヒュンデイチャドンチャ（現代自動車）はそのメーカーで、サムスンテレビはそのメーカーが、ヒトはヒトのメーカーの親神様でなければたすけられない。

存命の教祖におすがりする心がウスイ「貪欲な心」が不和の原因だ。

迷回答に珍回答（その二）

質問三

身上者やその家族にどのように近づいて、どのようにおたすけすればよいか？　悩んでいる。

迷回答

無理に近づこうとしないことダネー。春を待つ心で旬を待つンダ。「どのようにおたすけするか？」って、先案じ心配性ダネー貴女は。旬がきてないのに。そのときになり、フト浮かぶが神心でおたすけできる。そんなモンだよ、おたすけはー。

子供が川で溺れている。助けようと思っても、自分が泳げなかったら助けられない。たすけたい心があっても、力（徳）が無いとおたすけは出来ない。泳げるのに、たすけようと思わなかったら、素通りしてしまう。力（徳）があっても心がないと、おたすけは出来ない。

おたすけは、心と力（徳）と備わることが大切なんだ。

神様のお言葉に、

「心あっても、理（徳）なくばどうにもならん」

とあるから、真実誠の心に成人していくよう日々心づくりと理（徳）を積む努力をしよう。つまり、たんのうの心の涵養（かんよう）ということだ。

おかきさげに、

「人をたすける心は真の誠一つの理で、たすける理がたすかる」

とある。真の誠一つの理とは、教祖のひながた。おたすけもたんのうも、教祖のひながたから生まれてくるのだ。ここのところを間違わないでネー。

「このききらうかあのいしと　おもへどかみのむねしだい」

おたすけするに相応しい人を神様は、必ず与えてくださる。「待つ心、祭り」。この日本語、同時通訳しなかった。出来ないのだ。言葉の翻訳は難しい。

質問四

自分の子供に信仰を伝えようとするが、オーリョップスニダ（難しい）。どうすればよいか？

珍回答

親不孝の子供を親が「この親不孝者」と思っている間は、子供は親孝行者にならないヨー。親不孝の子供を通して、親が自分の過去の通り方を反省し、オサンゲして、親が行いを改めるのが、道の順序。子供は親の言う通りにはしないが、親のする通りにするものだ。子供は親の背を見て育つからだろう。

アジック、イゼプトヤ（まだ、これからや）

親は子供に信仰を伝えようとするのでなく、伝わる信仰を親がすべきだ。子供に信仰を伝えるのが、難しいのではなく、伝わる信仰をすることが難しい。

私は二十歳代のとき、マルキシズムに心酔し、神は絶対無いと、事あるたびに母の信仰に反対した。反対どころか撲滅天理教の夢を持って修養科に入ったが、担任の先生は、その頃天理教一の柏木庫治先生が天理教一と断言した上本信夫先生。「天理教一の先生の生徒になるとはキミ、お母さんの信仰のお徳だヨ。キミのお母さんの信仰に触れたいネー」と、柏木庫治先生は母に会いにこられたんだ。

母は子に信仰をすすめたことは一度も無い。高尚佳分教会設立奉告祭に来た母は、「おまえの反対で、反対するも可愛い我が子、教祖のお言葉胸に迫った。笑われ、そしられて珍したすけをするとのお言葉通り、不思議なおたすけ頂いた。おまえの反対で成人したようなものヤ」

と述懐した。自分の子供にさえ伝わらない信仰でどうする。

信心フォーカス

秘書の威力

高橋分教会長のとき、中和大教会長様に特別養護老人ホームやすらぎ園設立のお許しを頂きに行った。

「教会は事業してはイカン」

反対された。無理もない。老人の施設がまだ「養老院」と言われていた時代だったから。

「時代の先取り、寝たきり老人のおたすけの場なんです」

度重なる啓蒙説得に、とうとう条件付きで許してくださることになった。

一、絶対にいさかい(ケンカ)するな。

二、教会への信者さんのお供え金はビタ一文使うな。

三、髙橋分教会の教勢を倍にせよ。

一は、普通の人には何でもないだろうが、かつてオルグ活動の闘士、ダンプカー風評の者にとっては、猫に魚を食べるな、と言うようなもの。

二は、その頃の出入り年賀状は一千通。教内三百、教外七百。「七百から募金せよ」と、大教会長さんいとも簡単にアドバイス。そんなたやすい世の中やオマヘン。

三は、ようぼく・神祀り宅・参拝場・上級への運び、倍に。マジックじゃあるまいし不可能。だが、条件を呑まなかったら、お許し頂けないのだから、同じ出来ないなら大きく言ってヤレー。ヤケクソで、「三倍やったらアキマヘンのか?」と怒鳴り返したら、途端に大教会長さんニコニコ顔。「オー三倍なら、なおよろしい」。

三条件、どれ一つとっても、人間ワザで出来るものではない。教祖にお縋りするよりほかに道はない。

その日、教祖殿へと急いだ。そして教祖に言上した。

「三条件、教祖に働いて貰わないと出来まへン。だから私、教祖の秘書になります。お願いです。秘書にならせてください」

お願いしたが返事がない。

「ご返事頂けないのは暗黙のご了解と存じます。ありがとうございます。秘書にならせて頂きました」

流れ落ちる嬉し涙が、教祖殿の畳を濡らした。押しかけ秘書の誕生である。

いさかい、ケンカはしなかった。できなかった。「教祖の秘書」ナンダカラ。

教外の大勢の皆様が寄付してくださった。「教祖の秘書」の威光で、まるで夢見ているように二億円以上、教外の人びとから寄付金を頂き、昭和五十年十二月三日、一・二・三と特別養護老人ホームやすらぎ園が呱々の声を上げ、創立十周年には善衞真柱様のお入り込みまで頂戴した。

においがけの教外者寄付集めに奔走していた時、奈良県出身の衆議院議員の先生が、

「どうやら大臣のお鉢が廻ってきそうや。キミ、オレの秘書やってくれんか？」

有り難い声をかけてくださった。

「折角のお言葉ですが、先生、一足遅うございました」

「へー、もう誰かの秘書をー」

「ハイ、やっております。半年ほどまえから、中山みきさんというお方の秘書を」

「ナニー、キ、キミ、ナカヤマミキさんって、天理教の教祖ハンと違うのか？」

「ハイ、そうなんです。ただし、秘書は秘書でも、自分勝手の押しかけ秘書でー」

「ウワーハハッハ、押しかけ女房ならぬ押しかけ秘書か。ハッハッハー」

豪快な笑いを残して、先生は立ち去って行かれた。

一カ月後、衆議院議員会館へ先生を訪ねて行った。その頃は毎月、高山布教に衆議院議員会館へ行っていた。

「今日はキミに紹介したい人がいるんだ。ついて来るように」

ノックされた部屋には「大平正芳」の名札がかかっている。

「大平先生、この男なんです。ナカヤマミキさんの秘書と言った男はー」

「アー、ホホー、キミか。ウーアー、まあ、アー座りたまえ」

アー、ウーで始まったその時は外務大臣だった大平先生の、秘書としての心得のひと言、慧眼細目（けいがんさいもく）に見据えられて私の心奥が揺さぶられた。なんやそこらへんのオッサンやないか？　一瞬の感じが、人間の重厚さに吹っ飛ばされた。自分の人を見る目の軽薄さが身にしみた。

信心姿勢の変わったことは言うまでもない。

大平正芳先生との出会い、まさに押しかけ秘書の威力、お陰。

大平正芳先生を紹介くださったお礼に、衆議院議員先生に別席を勧めた。

別席を運び、ようぼくになった衆議院議員先生、服部安司郵政大臣。まったく、教祖の押しかけ勝手秘書の威力である。

お道では、ちょとはなし、ひとことはなしと言う。ちょっとの話が大切なのだ。教祖の秘書だから、世界中たすけあげる教祖の意気と熱意込め、一人ひとりの目を見て話す。聞き手が多かろうと少なかろうと関係なし。原稿の顔を見てーなんて、そんな失礼なことは絶対しない。落語漫談家でさえ原稿を見ないのだ。

布教師の意気と熱に感動して入信した人は数多く知っているが、教理に感激して入信した人は、寡聞にして知らない。

私は神様のお話でよく汗をかく。大体聞き手は話の内容なんてあまり聞いていない。それが証拠に、講演後の感想で「ファイトをもらった。元気、勢いを感じた」が多い。それだけ内容が乏しいせいかもしれないが……。

先日、遠方からやって来た青年、「先生の勢いを貰いに来た」と言うから、「勢いは貰うものでない。教祖の秘書になれ」と説教した。

教祖の押しかけ勝手秘書、首にならないよう要心用心。

銀色の橋

耳にしなくなった言葉に、「ルンペン」がある。

語源はドイツ語で歯切れがよい。

物乞いをして、人様から食べ物や金銭を頂きながら、公園や橋の下で生活するホームレスのことである。

私は、大阪は京橋で単独布教を始めた。

近くに大阪造幣局があって、その東側に淀川の支流堂島川が流れ、人びとが「銀橋」と呼ぶ大きな橋が国道1号線に架かっている。

その頃、銀橋の橋の下には、ルンペン小屋が並んでいた。

銀橋の橋の上から眺める景色はまた格別で、川筋に建つ建物が、満々とよどみなく流れる堂島川の水面に映えて、ヨーロッパの風情を漂わせ、布教師の心を和ませる格好の場所だった。

銀橋の橋上からルンペン小屋を見下ろしていると、白と黒のベールを被った清純なシスターが小屋を訪れては、物を与えているのが目についた。

興味津々、橋を降りてシスターの後を追った。

シスターは、天理教と染め抜いた色褪せたハッピを着る、人相よろしくない日焼けしたヤセ男を、ハンテン着た物乞い暴漢とでも映ったのか、慌てて姿をくらました。

トタン板のルンペンまでが、貰ったばかりのお菓子をセビリに来たと思ったのだろう、背中へ隠しながら、

「オレには、テメエなんかにヤルモノ、ナンニモ、ネエゾー」

江戸っ子弁で威勢はよいが、少々言語不明瞭、軽い中風とお見受けした。同じ仲間と思っているようだ。

「モノ貰いに来たンジャネエ。天理教の布教師だ。神様の話聞かネエカ」

わざと不慣れな江戸っ子弁で答えると、ジッと襟の高橋分教会の文字を見つめなが

ら、

「タカバシ分教会ってなんだ」

「タカバシじゃネエ、タカハシ、バと濁れば心まで濁るジャネエカ。濁らんハだ。オレの教会の名前だ」

「オー、タカハシカ、気に入った」

偉そうに言うから言い返してやった。

「気に入るのは当たり前だ。橋の下に居って、タカハシが気に入らいでどうする」

怒るかと思ったが、ニコニコ笑い出した。

「テンリンサンヨー、信者になってやってもよいがノー。さっききリストさんは菓子くれた。テンリンさんはナーニくれる」

さすが物乞い、面目躍如。

中風の介護と小屋の修理清掃を引き受け、どうにか匂いがかかった。

それからというもの、トタン板の張り替えからとうとうシモのお世話まで。ルンペンの下男とは我ながら情けないが、これも谷底せり上げおたすけ、連日のようにご奉公させていただいた。

　ある日、月は東に日は西にかたむく夕方だった。

「もうビタ一文もない。テンリンさん、お金くれ」

　突然言い出した。

「お金やらんことはないが、その代わりオレにもなにかくれるか」

「折角だが、オレにはお見かけ通り、やるモノなんてなんにもネエヤー」

「あるやないか足が……。一万円やるから、動きにくい、その足くれ」

「そうりゃ駄目だ。こんな足でもなかったら、歩けネエヤー」

「そうか、それなら二万円やるから、手をくれ」

「手がなけりゃ、箸持てネエヤー」

「そうか、それなら三万円やるから目くれ」

「バカ、目がなければ、なんにもでけやせん」

「オマエサン、お金はない、なんにもない、と言うが、お金で買えないお金以上のモノ、たくさん持ってるやないか。人の情けにすがらずに、自分の持っているモノにすがれ」

彼は小屋を出て、夕映えに染まる銀橋を見上げた。

つまずいて深く深くうなだれた。

動かない彼の背に、私は身上かしもの・かりものを話した。おぢば帰り、別席をすすめた。大きく頷く彼。

私は春の息吹を感じた。銀色の橋が潤む。

小言オヤジ

憩の家病院事情部の講師として勤務をしていたある日のこと、息抜きで外へ出た。と、病院西側にある自転車置き場の前で、一人のオヤジが怒鳴っているではないか。

「こんな所へ自転車を置きヤガッテ、通りの邪魔になるのが分からんのかー、アホめー」

「ホンマニー、ゴミぐらい箱へチャントほかせー、アホめー」

オヤジは、ゴミを拾い、自転車を片付けながら、そのゴミや自転車に怒鳴っている。威勢はよいが、なんだかユーモラスな怒鳴り声。怒っているようで怒っていない。叱っているといったほうがよい。思わず聞き惚れ、見とれてしまった。

いま時、珍しい豪快な小言オヤジ、トタンに風向きが変わってきた。

「オイ、そこの教服。ボーッと見とれんと、手伝えー」

その頃の事情部講師は—教服—を着て、「先生」と呼ばれていたから、いきなり「オイ、そこの教服」と言われては、少々カチンとくる。日頃の天の邪鬼気質が鎌首をもたげた。

「オジサン、私は教服着てるが、教服という名前では、オマヘンでー」

「ナニー」

オヤジ、手にしていた自転車をホッポリ出してこちらを見据えた。視線が鋭い。

「ナンチュウ名前ジャー」

「びっくりしたらアキマヘンデー。わっしはーなー『ナポレオン』デンネー」

言うなり、教服の帽子を横向けた。横向きにかぶるとナポレオンの帽子そっくりだ。

「オー、そうか、ナッポッレオンか。ワッハッハー。ナッポッレオンに手伝えとはノー」

「いやオジサン、手伝わせてもらいますヨー」

教服着たまま、手伝った。

「オイ、ナッポッレオン、お茶でも飲まんか？」

ギャグの分かる小言オヤジのお家は、憩の家病院の真ん前にあった。

その日から、事情部勤務より小言オヤジの家へ遊びに行くのが楽しみになって、昼から一献を傾けたことも何度かあった。

やがて判明したが、小言オヤジは、我が高尚佳分教会布教部長の、夫人のお爺サマだった。

いま道では、こういう甘いも辛いも聞き分けた人生の達人とでも言うべき小言オヤジを、とんと見かけなくなった。

いやに悟りきった、話の分かる変に優しいオヤジが増えている。

幼児向きイトハン・ボンボンの優しさを求める時代だからだろうか。

生きたままのイワシは値が高い。だが、港に戻り陸揚げする頃にはほとんど死んでしまう。そこで、生けすにナマズを一匹入れておくと、イワシは見たこともない先客に驚き、緊張し、その緊張感のために港まで元気でたどり着くという。

三澤千代治さん（ミサワホーム創業者）の著書に紹介されているノルウェー漁師の実話である。

昔は、「地震・雷・火事・オヤジ」と言った。

イヤな地震や火事があるから、建築技術が発達し、防火施設が整った。

恐ろしい雷が鳴って、電気が発明された。

雷落とす小言オヤジがいて、山の中へと飛び込んで行く生き生きとした「あらきとうりよう」が育つ。

においがけ・おたすけ活性化に、ナマズは欠かすことができない。身上・事情は道の花。重石なくして美味しい漬け物は漬からない。人生・信心の要諦だろう。

おすそ分け信心

韓国へ布教に行くとき、子供にチョットしたお土産を持って行く。土産を手にして子供は喜ぶ。喜ぶ子供を見てお母さんが「コマワヨ・コマワヨ（おーきに・おーきに）」と言って喜んでくれる。お母さんには、土産を渡していないのに。貰って喜ぶは子供の世界。喜ぶ子供の姿を見て喜ぶは親の世界。

「天理教に入信、信心して、こんなに結構なご守護を頂きました、お陰を貰いました」と喜ぶ人は多い。喜ぶことは陽気ぐらしの基本、決して悪いことではない。しかし、頂きもの貰いものを喜んでいる間は、子供の世界。子供の欲にはきりがない。ご守護頼りの信心は長続きしない。

手足の自由がかなわない難病の人が、教祖殿で、自由がかなうという実に不思議で鮮やかなご守護を頂かれた。『天理時報』にも大々的に報道されたものだから、喜んだ本人、人びとにご守護話を吹聴して廻られた。

ところが、頂いた貰った話だけに終始し、自分と同じようにたすけて頂いて喜ぶ人をつくり、その喜ばれる姿を見て共に喜ぶ親の信心にまで到達されなかったから、末代続かなければならないこの結構なお道の信心が、その人一代限りとなってしまった。折角、希有なるご守護を頂きながら、勿体ない話だ。

「たすかった、たすかった」だけでは、本当のたすかったではないのだ。人をたすけてこそ、たすかったのだ。

「修養科はよかった。もう一度行きたい」

再度修養科を志願する人が最近多いように思う。悪いことではない。良ければ何遍でも行くがよい。だが、すこし考えてもらいたい。何遍も行きたいほどそんなに良い修養科なら、自分一人で行くな。どうして未知の人を案内し、お連れして行かないのだ。美味しいお店を発見して、自分一人で食べに行くような、コソコソ信心が、なんだか物寂しい。

かつて天理駅裏に、うどん屋「たかお」があった。真柱邸からご注文を頂く、と耳にした。ならばもう日本一だ。日本一なら皆さんに教えてあげねばならぬ。韓国、台湾からの帰参者は言うに及ばず、大勢の知人を「たかお」へ案内した。

「どうや、真柱邸からご注文あるから日本一のうどん屋さんや。おいしいだろう?」

「そうか、おいしいナアー、うまいナアー」

連発する声を耳にして、喜ぶ顔を眺める。鼻高々の、案内甲斐のある至福のときだった。

うどん屋「たかお」へ、一人で食べに行ったことはない。一人では行きたくもない。

「教会長にならせて頂いて良かった」

全ての教会長さんはそう感じ、神意に感謝し、喜んでおられると思う。

しかし、それほど、会長にならせて頂いてと喜ぶなら、どうして理の子の会長サンをつくり、自分と同じ喜びを味わう理の子会長の姿を見て喜ぶ親の会長にならないのか。できないのは、一人よがりの自己陶酔信心になっているからではないだろうか。

母の跡を継ぎ、会長にならせて頂いて約六十年。共に喜ぶおぢばのお許しを頂いて会長になった人は九人。十人目を目指して意気は高い九十四歳だ。

私の子供の頃は、目出度いもの、珍しいもの、美味しいものを頂くと、必ず隣近所へおすそ分けをして、喜びを共に分かち合ったものだ。

我が家だけで楽しみを独占するような、ケチな家は一軒もなかったゾー。

それは昔の話、と思い感じる人は絶対モノにはならんナー。

「教祖のおひながた、昔のハナシカー？　昔のおひながたカー？」

「今のハナシなんだ。今のおひながたなんだー。ボンボン・イトハン達ヨー」

我がことか、人ごとか

先輩の知人先生が、

「折り入ってキミに、頼みたいことがあるから、是非、今晩、付き合ってくれないか」

古都奈良の静かな森にたたずむ有名料理屋「大和山荘」へ案内するから、とおっしゃる。

「なにもそんなに、一流料理屋へ行って、お金をお使いにならなくても、先生、喫茶店でよろしいですが……」

と申し上げたが、チョット、人サンに聞かせたくない話だから、静かにゆっくりと出来る場所でと、尋常ならぬ先生の気配に心ひきしめて、大和山荘へついて行った。

芸者さんの唄と踊りに、三味線・太鼓・笛の音入り、ほどよく酔いも回ってきたとき、先生が話し出された。

「おぢばのお許しを戴いた教会をつくるのが、入信以来の自分の念願だった。もう年も年だし、是非、年内にお許しを戴きたいのだ。良い土地があるのだが、買うお金がない。数少ない信者さんではどうもできない。男一生一代の頼みだ。キミ、我が教会の大蔵大臣になってくれまいか？　他人の教会にー。申し訳ないが、キミしかいないんだヨー、頼める男は。頼むー」

年下の私に平身低頭、涙声で頼まれる先生。

よほど、私のような男を信頼し、信用し、頼りにしてくださっている。先生として言いにくい話を……、有り難い。

男一匹命にかえて先生のご期待に応えよう。私は気持ちよく大蔵大臣をお引き受けした。

大和山荘の一流おもてなしにあずかって、恩義を感じたからではない。恥も外聞もなく、教会系統も関係なく、赤裸々に自分、人間をさらし出された先生を見捨てては、男が下がる。我がこととしてつとめさせていただかなければならぬ、と決心しただけである。

教内外の知人にお供え金、いや寄付金を頼みに行った。

どうして関係のない教会の、大蔵大臣という大役を引き受けたのか？　不審に思われたが、先生の願望と、自分のような男に寄せてくださる信頼感の大きさに答える義理と人情話を、皆さん納得してくださって協力して頂けたのは、先生のお徳だろう。

すべてのことを、我がこととして受け止めるとき、「してやる」とか、「してあげる」とかが、「させてもらう」とか、「させていただく」に変わる。

「徳をやる、徳をあげるが、徳をもらうと徳をいただくことに変わってくる」

と、修養科で教えていただいた。

先人の宮森与三郎さんは、この「させていただく」信心の名人であったという。

また教祖の長男秀司さんが、金剛山地福寺へ教会開設の認可を貰いに出かけようとされると、教祖は、

「行き着く間に神が退く」

と、命がなくなるとまで厳しく止められた。

しかし、秀司先生は、教祖や信者のことを思い、止むにやまれぬ思いで出かけられたが、教祖の「親神は退く」のお言葉で、誰もお供をしないなかを、宮森与三郎さんはお供をさせていただかれた。

翌年、秀司先生は六十一歳で出直され、次の年、夫人のまつゑさんも三十二歳で出直された。

宮森与三郎さんは、次は自分の番であると覚悟して、つとめを辞し布教に出られ、いまの梅谷大教会・田原分教会の礎を築かれ、八十歳まで道のご用に丹精された。

素晴らしい先人達の逸話のなかで、教祖のお言葉に反して、同行されるイノチを賭したこの行動が、私の胸を打つ。

知人先生、立派に教会のお許しを戴かれたことは言うまでもないが、我がこととして、つとめさせていただいた大蔵大臣のお陰で、思いもしなかった身にあまるご守護を頂いた。至難な思いも達成させていただけた。

昭和の初め、鶏の遊び場だった髙橋分教会に七カ所の教会をお与え頂き、夢ノ架橋分教会という斬新な名称のお許しを戴いたそれが、何よりの証拠と思う。先生が出直される直前「オレの葬式で告別詞、キミ頼むヨ」と、先生は最後まで、私に期待を寄せてくださっていた。

我が恩師、道の味

鴫野(しぎの)のお母さん

私が大阪京橋のむらさき荘三畳ひと間で単独布教していた時、行きは右側五十軒、帰りは左側五十軒、往復で百軒、警察病院も飛ばすことなく片っ端から戸別訪問していた。

そんな中、城東区鴫野の戸別訪問で、出てきたオバサンが「ウエダさんか?」といきなり言ったのにはびっくりした。

ステさんだった。ステさんは我が恩師上本信夫先生から、「いずれ教え子が戸別訪問で現れるだろう。その時はご馳走してやってくれ」と頼まれていたから、今日か明日か、ずーっと待っていたと言う。

私は恩師の親心に、ステさんの膝を涙で濡らした。

恩師の著書『道の味』から、ステさんと恩師の出会いと信仰を振り返ってみる。

苦難の始まり

ステさんは二十三歳の春、親戚縁者から心からの祝福を受け、同じ村の素封家へ嫁いだ。

幸福な結婚生活が二、三年続いて、長女静子が生まれ、女の幸せを一人占めにしているような日々であった。しかし好事魔多しの例の通り、その頃から夫の茶屋通いが始まって、家業を顧みなくなった。日を経るにつれて、夫の道楽はますますはげしく、妻の言葉はもとより、親の意見も馬耳東風に聞き流して手もつけられぬ有様になった。根が勝ち気で、我が儘な性格のステさんは、夫の態度を腹にすえかねた。一つには脅かしの心算もあったのだが、ある日、幼い静子を連れて熊本の田舎から忽然と姿を消した。

家人や親戚は、慌てて彼女の行方を探したが、杳としてその消息は知れなかった。それもその筈で、当時としては全く無謀な事だが、玄界の荒波を越えて朝鮮にとんでいたのである。彼女の苦難の人生はその時から始まった。

布教師と放浪者

子供を連れた彼女の生活は苦しかった。今さら故郷へ帰る事も出来ず、一時凌ぎにカフェーの女給、飲食店の皿洗い、小料理屋の仲居となって生計を立てた。娘静子を一人前にするためには、どうしてもお金が必要だ。若い女に向けられる幾多の誘惑の魔手から逃れつつ、ただ金、金、金を求めて放浪の末に、彼女は満州へ渡った。

ここにも幸せは待っていなかった。中国人の洗濯屋の手伝い奉公もした。幼い静子が淋しく母の帰りを待つ姿もいじらしく惨めで、そんな我が子を思うと、たまらない心になった。

その頃、我が恩師上本信夫先生がステさんと知り合ったのである。

恩師は布教の初めで、その惨めさはステさんと似たり寄ったりであった。薄暗い路地の奥の、汚い中国家庭の一室を借りているステさんの所へ、恩師は通い始めた。

ステさんは、金を求めてあくせくしている自分に比べて、若い身空で人たすけなどと、頼みもせぬのに、中国街の遠い道を埃を被って歩いて通う恩師の姿に心打たれた。

ある日、ステさんは恩師に若干のお金を渡した。恩師にとっては相手の気持ちはともかく、やはり嬉しいことだった。お礼と共に恩師は初めて信心の話をした。

「高い天井には手が届かない。しかし、踏み台を置けば手は届きます。幸福になろう、子供を立派に育てようと思えば、徳の台を積まねばなりません。人の性は善です。盗人でも人を助ける心は持ち合わせています。一度や二度の善いことは誰にでも出来ます。しかし、いかな大きな善行でも、それは南瓜のタネのようなもので、大きくはあるが、大きくなるタネではありません。毎日、僅かずつでも、身を詰めて、神様へのご恩報じにお供えすることは、ちょうど松のタネのように、小さくはあるが、大きくなるタネです。信心には、小さくても克明な実行が大切なのです」

恩師とステさん

恩師の信心話を耳にしてからステさんは、恩師が訪ねるたびごとに、貧しい中から若干のお供えをするようになった。恩師はその都度有り難く頂いて、帰りには振替えにして、親教会へ送った。そして、ステさん親子の幸せを祈るのであった。

しかし、恩師には大した信仰があったわけではない。不徳な者がお金を持っていれば、つい自分勝手の事に遣ってしまう。たとえ僅かでも、今日は今日の理である。それを持ち越すことは、今日の理が許さない。今日の理は今日親教会に供えたい。ただそれだけであった。ただそれだけであったが、「道の味」に欠かせない純な「隠し味」でもあることを、恩師は発見し、恩師をして道一条へと駆り立てたのである。

信心は、理屈が分かるよりも、行っていることが大切。ステさんの信心も恐らくこんなところから進んでいったのに違いない。

不思議が神

ステさんは、娘静子をなんとかして女学校に進ませてやりたいとの親心から、恩師を訪ねた。今までのステさんの心労を思えば、恩師は進学に賛成したい気持ちは充分だが、私情をはさむ時ではない。

「貴女が静子を思う気持ちはよく分かるが、あの娘は片親で、しかも貧しく育たねばならない運命を背負っているのです。金も学問も人間を幸福にする要素には違いないが、それだけを付けてやることが良いのではない。いやむしろ、その娘に大きな負担を負わすことになるのです。五キロの物しか持つ力のない者に、十キロの物を持たせれば倒れます。子供は枝で、貴女は幹、そして一切を生かしてくださる親神様は根に当たるのです。根を培ってさえいれば、枝である子供は黙っていても立派に育ちます。静子の徳を考えれば、女学校は止めて補習科にしなさい。貴女がしっかり徳を積んでやっておれば、親神様は如何なご守護をお見せくださるか分かりません」

半信半疑のステさんも、それではと言うので、静子を補習科に入学させることになった。

それからのステさんは必死だった。徳を積むためには自分の分限を削って、人たすけのために教会を通じてお供えをしよう。人だすけの場である教会のお掃除にも通おう。接する人の総てににおいがけもさせていただこう、と決めた。

ステさんの勝ち気な性分は、良い事にもまた、激しく働きかけた。

二年は夢の間に過ぎ去った。

いよいよ、静子が補修学校を卒業する時期になると、その学校が昇格して、名も富士高等女学校と改まり、引き続き二年の進学が許され、期せずして望んでいた女学校を卒業することになってしまった。

「先生、不思議が神やと言われたが、これが神様ですね」

静子はもとより、母親ステさんの喜びようはひと通りではなかった。

やがて女学校を卒業した静子は、三井系の会社に勤務。彼女の真面目な仕事ぶりに目をつけた社長は、母親が仲居をしていることを惜しんで、会社の寮母に雇うことにした。こうして母娘に、十数年ぶりに落ち着いた平和な生活が訪れた。

翌年、静子はその会社の若い重役から請われ、社長夫妻の媒酌で結婚式を挙げた。

その後、終戦による外地からの引き揚げは悲惨そのものであったが、ステさん親子の場合はむしろ大きな幸せであったという。二十数年振りに、初めて故郷に顔出しできたからという。ステさんの永い苦労は、信仰を台として実った。

（昭和35年養徳社刊・上本信夫著『道の味』より。筆者、原文を改編）

「鴫野のお母さん」布教中の私は、ステさんをそう呼んで、一週間に一度、悩みを打ち明け、教えを乞い、ご馳走にありついた。

三年に及ぶ私の大阪布教完遂は、上本信夫恩師の親心と、鴫野カアサンの母心――「道の味」による。

さてさて、未曾有コロナ禍の我が信心「道の味」は？ リフレクション（内省）を重ねていると、夢ノ架橋分教会がおぢばのお許しを頂戴した。えっ、コロナのお陰？

ちかっぱうれしか

クメインヌンタリ（夢ノ架橋）

近頃、電車に乗ると、車内の様子がずいぶん変わってきた。窓に顔をくっつけ、車外の景色に見とれる人はいなくなり、人目もはばからず、車内で堂々と化粧に精出す娘さんが増えた。羞恥心を何処かへおいてきたような娘さんに限って、不美人ときているから何とも皮肉な現象だ。

化粧が完了すると、手にしたスマホを眺めては一人ニヤニヤ。自分の世界に入り浸る。若者は小型パソコンを開け、気ぜわしく両手の指を動かしながらキーボードをたたき、ディスプレイ画面にくい入る。

時代が忙しくなってきたのか?

仕事に追われ、旅の楽しみを味わう余裕がなくなってきたのか?

テレビで世界の絶景を見過ぎて、ありきたりの車外景色に興味がないのか?

ひと言でいうなら、個人個人の自主性・自立性・主体性が早まってきた時代。

裏を返せば、自分という小さな世界に閉じこもろうとする時代だろう。

その時代に人の心を開けようとするのは容易でない。今まで以上に、人を引きつける魅力・人望・人柄が求められる。

私は九十歳のとき、胃ガンになりステージ3。天理よろづ相談所病院「憩の家」で手術入院となった。南病棟五階一番東の病室で、教祖殿青屋根を目の前に拝し、嬉しくて楽しくなった。教祖がお側へお呼びくださったから。

「ヨーシ、九十歳九州で、結婚式キャンドルサービスのように、人の心に幸せの灯をともして廻る火種独居老人布教だ」

教祖が、九十と九州の語呂合せをお教えくださったのだ。すると、中和大教会前会長夫人、ゆり子親奥様がおたすけに来てくださる。決意をお話しすると、「世界へ陽気ぐらしの架橋に」との願いから、「ゆめのかけはし」と命名くださった。

手術日当日、手術室へ入室したが一時間ほどで退出。

消化器内科部長の沖永聡ドクターが、

「植田さんのカラダって不思議ですネー。ガンが消えました」

と手術取り止め、退院となった。

やがて、福岡市早良区で三十坪二階建てをお与え頂くと、高尚佳分教会韓国第一号ようぼくの文学博士、鄭琦鎬先生が夢ノ架橋をクメインヌンタリと翻訳。韓国から福岡は近い。教会設置の気運が高まる。

立教百八十三年の七月、「夢ノ架橋分教会」設立のお許しを戴いた。

「とてもうれしい」を、博多弁で「ちかっぱうれしかー」と言う。

ちかっぱうれしか

ちかっぱうれしか、クメインヌンタリ、夢ノ架け橋。

夢が広がる夢萌える。さあ、これからや。まだ、これからや。

たすけられ布教

令和が始まろうとする四月、九十三歳のとき、福岡で後期高齢者が独居老人布教を始めた。

三十歳の時、大阪京橋で単独布教をした。歩いて歩いて歩き通した成功体験も、さすがに九十歳を越すと、夢のまた夢。

「ウロウロ出歩いたらアカンデー」

福岡へ出発するときの、嫁サンから子供・孫・曾孫にいたるまで、外出禁止のはなむけ言葉。

「ナニ言うトンネ。布教師がウロウロ出歩かンニャ布教にナラン。アホウなこと言ウナ」

「絶対、自動車運転したらアカン。事故起こしたら、神サンの名を汚すばかりか、家族みんな迷惑ヤー。運転免許証返納して行きー」

「モウ、ヤカマシイナ。それなら、自動車やめ自転車ヤー。そうでないと福岡の地理覚えラレヘン」

「アカンアカン、自転車は、なお危ないガナー」

老人の木登り？　布教を心配する小言・忠告を背に、福岡へやって来て一カ月目の五月、手製のメッセージ配布中に転倒。顔面手術で一週間の通院。

「ウロウロ出歩くなって言うているのに、ナニしに九州まで行ったンヤー。怪我をしに、わざわざ福岡まで行ったンヤロ」

残念ながら絆創膏を貼った顔では言われ損。仕方なく無言の行。だが、心は嬉しく喜び一杯だった。

何故なら、においがけという良いことをしていて、結果が悪かったのだから、その

ちかっぱうれしか

悪い結果は良いことなのだ。天理に反する悪いことをしていて、結果が良かっても、その良い結果は悪いことなのだ。

大難を小難にしてくださったと、喜んだ。

病院は連休中で休診なのに、ドクターは毎朝診察治療してくれる。

通院は、連休で休暇中の娘サン運転の自動車だ。

その若い女性ようぼく二人が、

「これからは、老人のパンフレット配りは止めて、若い私達がするようにとの、神様の思召です。私達が配布します。後期高齢者は、神様の前で座っていらっしゃい」

思いがけぬ言葉に、目が潤みかけたが、そこはグッとこらえて、

「さすが、新教会目指す夢ノ架橋分教会のようぼくだ。エライー」

心配する家族には説教してやった。

「怪我の功名、というご守護を頂く信心をせよ。ワッハッハア」

夢ノ架橋、たすけられ布教が始まった。

心動かした九州男児

ちかっぱうれしか

転倒してから、皆さんの外出禁止令が厳しくなり、出歩けなくなった。福岡市の地理が覚えられない。布教師が地理オンチでは話にならぬ。内緒で自転車を買うことにした。買ってしまえばこちらのものだ。

自転車屋さんを教えてもらおうと、交番所へ尋ねに行った。

「この近くにはありませんね。サイクリングでもなさるの？　近頃は自転車の事故多いですよ。お年召しておられるし、危ないですよー、自転車もー」

お巡りさん、意見する息子の顔になってきた。長居は無用、早々に引き上げた。

出歩いていると、古い電気店が目についた。そこで自転車屋さんを尋ねた。

「ウーン、三キロ先、いやいやもっと遠か？　ズーッと行って右へ曲がって左側」

お礼を言って歩き出すとブッブッブー、クラクションの音。先ほどの電気屋さんの運転する軽トラ。

「案内してあげるヨ、お乗り」

口よりカラダ動かす九州男児と耳にしていたが、聞きしに勝る九州男児だ。

「奈良の天理から天理教の布教に……」と自己紹介。

「アア、子供はおらんとね」

天涯孤独の寂しい老爺に映っているようだ。ヨカヨカ、貧のドン底ならぬ貧老ドン底出発も。元一日を忍ばせてくれたひと言に感謝。心勇んだ。

モットーは「三才心」

新品自転車で市内探索のにおいがけに出発。道に迷い、自転車に乗る少女に尋ねた。

知らない人にはと当世教育受けている筈の少女が、「私のあとについて来て頂戴」と約二キロ、颯爽(さっそう)と案内してくれた。

「おじさんネ。奈良の天理から来たばっかり、道分からず、ご免ネー」

「へー、天理から？　天理野球ツヨッカネー」天真爛漫(てんしんらんまん)少女の声。

明るく溌剌は博多女、風評のタマゴ少女に、心癒やされた。

そうだ、夢ノ架橋分教会のモットーは「三才心」。

バイバイと手を振りながら去り行く少女。「三才心」を決意させくれた少女の背に、幸多かれと祈った。

恐れ入りました

西鉄バスに乗車して、財布不携帯に気がついた。運転手さんに言うと、彼も困った様子。すると、中年の男性乗客が、「どちらまで行かれる？」と尋ねてくれた。

「四箇田団地までです」

「アア、百七十円だ。これで降りなさい」

ちかっぱうれしか

運賃を出してくださった。返金するため、ご住所をお尋ねした。

「あなたネー。こういう困った人に出会ったら、その人にお返ししてください」

目頭が熱くなった。世の中には、想定外の立派な人がおいでだ。去り行くバスに、深く頭を下げて叫んだ。

「恐れ入りました。におい かけられました」

布教師の私、におい かけられ九州布教、佳境に入っていく。

三度目の会長

令和二年、立教百八十三年の一月、九十四歳になった。

世間ではとっくに引退。消え去るのみなのに、お道は三度目の現職会長として使って頂けるのだから、誠に有り難い。しかも講演や執筆の依頼が後を絶たないのだから、望外の喜びだ。

自動車運転免許証返納の大合唱に耐え忍んで、ハンドル手放さず、時には眼鏡なしで新聞や本を読み、パソコンのキーを叩く。足腰痛んでも起居歩行に支障なし。別に、健康のための食事やトレーニングなんてしたことなし。すべて、親神様の恵みに生きてこその素地なのだ。

私は小学校六年生のとき、成績は一番で級長だったから、奈良県一と言われる畝傍中学校の合格は間違いないと自信タップリだったが、勉強よりカラダ重視の軍国主義時代、校医が、

「君は偏平胸だから、結核になりやすい。畝傍中学合格は無理かも知れない」

平素から食べ物ケチって、教会へのお供えはケチらない母の仕打ちに腹が立っていたので、この時とばかりに、

「みんなの前で、梅干しと漬け物ばっかりの子はこんな体や」

立たされて大恥かいたと、大袈裟にウソをついた。

その晩、我が家で初めてのすき焼き。食べようとすると、小床の神サンの前に二人

ちかっぱうれしか

座らせて母が、

「この肉はスジ肉でチョット安い。その安い分神サンにお供えして、神サンからお肉食べさせてもらうようにしようナー」

一事が万事、神サン神サンへと運んだ。

「いつになったら神サン、肉食べさせてクレルンヤ」

母に文句を言ったものだが、お道一筋にならせてもらうと、不思議にもアチコチの有名ステーキ屋さんににおいがかかり、ビーフステーキのご馳走。そのうえに、韓国や台湾へ布教に行くようになり、イヤというほどの肉責め。とうとう痛風になった。

母の、伏せ込みの「おかげ痛風」である。

「人さまに、キツイ言葉を吐き、痛い言葉の風吹かすからヤ、心が贅沢で高慢」

そんな忠告警告もなんのその、通院しながら「痛いぞー、おかげ痛風」。痛風に感謝と賛辞を送っているうちに、鶏の遊び場だった髙橋分教会に、八つ目の教会、夢ノ架橋分教会長就任、三度目の会長を勤めさせて頂くようになった。

「天理サン熱心にやっても、弟サンの足チットモ治らんやないか」の嘲笑に、母はビクともしなかった。

「治らんのがエエネ。教祖ハン長男の足治すのなんでもないのに、治さんと天理教広めヤハッタ。治らんのが天理教や。ワッハッハー」

耳朶（じだ）に残るこの笑い、私の信心フォーカスである。

ちかっぱうれしか

あとがき

駄駄をこねる幼児に、親がアメ玉を持たせて、あやしている。そんな幼稚な内容。

『まだ、これからやー』

遅々として進まぬ成人の鈍さを、蛮勇でカバーしようとする、子供っぽい物語。

『まだ、これからやー』

この未熟な発刊本に、『さぁ、これからや』に引き続き、横山一郎先生から推薦の言葉を賜りました。先生の御尊父正男先生に目をかけて頂いた母、ご子息先生の再度の恩情に、さぞ恐縮していることでしょう。

夢、これより外に将来を作り出すものはありません。夢を見るから人生は輝きます。世界へ、明日へ、陽気ぐらし夢ノ架橋。命名の植田ゆり子先生にも推薦のお言葉を賜りました。

あとがき

校正は、『陽気』編集部課長の山岡美秀氏、編集・校正は長谷川薫氏にお世話になりました。

稚拙な内容の拙著を出版くださった養徳社冨松幹禎社長に感謝する次第です。

立教百八十四年　こよなく晴れた春の日

植田與志夫

植田與志夫（うえだ・よしお）

一九二六年生。大阪工業専門学校原動機械科（現大阪府立大学）卒。大阪京橋・長野諏訪で単独布教。高橋分教会長・高尚佳分教会長・憩の家事情部講師・法務大臣委嘱人権擁護委員、歴任。「よのもと保育園」、特別養護老人ホーム「やすらぎ園」創設。教会七カ所設立。68歳で韓国語、70歳で中国語検定試験合格。現在、夢ノ架橋分教会長。韓国インチョン・台湾高雄で布教所設置。関西棋院囲碁五段。

著書　さぁ、これからや（養徳社刊）

チャ・イゼプトヤ（韓国青年会刊）

轍の響き（みちをせ社刊）

その時どうするモッダップル（みちをせ社刊）

まだ、これからや

―信心は無限の心意気―

令和３年４月18日　初版第一刷発行

著　者　植田與志夫

発行者　冨松幹禎

発行所　図書出版　養徳社

〒632－0016 奈良県天理市川原城町388

TEL 0743－62－4503　FAX 0743－63－8077

https://yotokusha.co.jp/

振替　00990－3－17694

印刷所　株式会社 天理時報社

〒 632－0083 奈良県天理市稲葉町80

ISBN 978－4－8426－0131－1

定価はカバーに表示してあります。